Le miracle
de la pleine conscience

THICH NHAT HANH

Le miracle
de la pleine conscience

Traduction inspirée par le travail de Mobi Ho,
Neige Marchand et Francis Chauvet

*Collection dirigée
par Ahmed Djouder*

Titre original
THE MIRACLE OF BEING AWAKE

Éditeur original
Éditions La Boi, 1974

© Beacon Press, 1974 sous le titre *The Miracle of Mindfulness*

Pour la traduction française
© L'espace bleu, 1994

À propos de l'auteur

Thich Nhat Hanh entre au monastère en 1942 à l'âge de seize ans pour devenir moine zen. En 1964 il crée à Saigon l'Université bouddhique Van Hanh et l'année suivante, l'École de la jeunesse au service social, fondée sur le principe de la non-violence et de la réconciliation.

À cette époque une guerre effroyable déchire le peuple vietnamien et l'École se donne pour but de soulager les souffrances des victimes et de travailler à la réconciliation et à la paix. Les jeunes qui y sont instruits s'occupent de reconstruire les villages détruits, d'ouvrir des dispensaires et des écoles et d'organiser des coopératives agricoles. Leur non-discrimination et leur absence de parti pris pour l'un ou l'autre des belligérants provoquent l'hostilité, et nombre de ces jeunes Vietnamiens y perdent la vie.

Invité aux États-Unis en 1966 pour y présenter un rapport sur les atrocités de la guerre, Thich Nhat Hanh est amené à rencontrer le ministre de la Défense Mac Namara (qui démissionnera de ses fonctions quelque temps après), le moine chrétien Thomas Merton ainsi que le pasteur Martin Luther King. Peu de temps avant d'être assassiné, ce dernier proposera Thich Nhat Hanh pour le prix Nobel de la paix.

Pendant cette visite en Occident Thich Nhat Hanh apprend que le gouvernement sud-vietnamien s'oppose à son retour au Vietnam. Dès lors, il enseigne à l'École pratique des hautes études à Paris et voyage fréquemment aux États-Unis et dans différents pays d'Europe pour y animer des conférences et des stages de méditation.

À présent, il habite dans le sud-ouest de la France au Village des Pruniers, une communauté fondée en 1982, où il enseigne la pratique de la Pleine Conscience.

À l'origine, cet ouvrage fut rédigé sous la forme d'une lettre que Thich Nhat Hanh adressait à Quang, un des responsables de l'École de la jeunesse au service social, qui comptait dix mille jeunes travailleurs. Il y rappelait les principes de base de toute action en faveur de la paix : la non-violence, l'interdépendance, l'impermanence, l'attention à la respiration, etc.

Le livre fut publié en 1974, en pleine guerre du Vietnam. La maison d'édition vietnamienne qui le publia sous le titre : La Pleine Conscience, un soleil qui brille *ayant été fermée, il circula sous le manteau et fut souvent recopié à la main. Depuis, il a été traduit dans une quinzaine de langues.*

Les principes simples et directs énoncés dans Le Miracle de la Pleine Conscience *sont universels et chacun peut y découvrir des trésors sans pour autant connaître la tradition zen vietnamienne ou la pensée orientale. (Les étudiants bouddhistes confirmés qui découvrent la tradition du bouddhisme zen vietnamien s'apercevront que les écoles Theravada et*

Mahayana étaient représentées au Vietnam et qu'elles s'y sont influencées mutuellement.)

Par cet enseignement, où méditation et action ne sont pas séparées, nous sommes invités à redécouvrir la véritable beauté de la Vie au fil de notre vie quotidienne, à apprécier chaque minute, chaque seconde du miracle de la réalité. Nous apprenons à retrouver l'émerveillement de l'enfant devant le monde et à nous reposer dans le calme et la paix de notre nature profonde.

L'attention à la respiration et au demi-sourire, qui est la base de la méditation bouddhiste, est une pratique au-delà des cultures et des religions : en suivant tout simplement les exercices de relaxation, de concentration et de méditation qui nous sont proposés, nous sommes amenés à la Pleine Conscience.

PREMIÈRE PARTIE

I

La discipline essentielle

En Occident, l'éducation des enfants est vraiment différente de celle que l'on donne traditionnellement au Vietnam. Ici, les parents pensent que « la liberté est nécessaire au développement de l'enfant ». Hier, Allen est venu me rendre visite avec son fils Joey. Cet enfant grandit si vite ! Il a déjà sept ans et parle couramment français et anglais. Il connaît même quelques mots d'argot qu'il a appris dans la rue. Pendant les deux heures qu'a duré notre conversation, Allen a dû surveiller en permanence son fils du coin de l'œil. L'enfant a joué, discuté sans arrêt, nous interrompant sans cesse et nous empêchant d'avoir une conversation suivie. Je lui ai donné plusieurs livres d'images mais, demandant une attention constante de la part des adultes, il les a à peine regardés, les a jetés par terre et nous a de nouveau coupé la parole. Finalement, il a mis son blouson et est sorti jouer avec le fils du voisin.

Quand j'ai demandé à Allen s'il trouvait la vie de famille facile, il ne m'a pas répondu directement. Il m'a dit que, depuis la naissance d'Ana il y a quelques semaines, il n'avait pas dormi suffisamment de temps d'affilée. Sa femme Sue, elle aussi, est très fatiguée, et le réveille au milieu de la nuit pour lui demander de vérifier si Ana respire bien.

— Je me lève, je vais jusqu'au berceau, puis je reviens me coucher et me rendors. Quelquefois, cela se reproduit deux ou trois fois dans la nuit.

Je lui demandai :

— La vie de famille est-elle plus facile que la vie de célibataire ?

De nouveau, Allen ne m'a pas répondu directement, mais j'ai compris. Je lui ai alors posé la question différemment.

— Beaucoup de gens disent que lorsque l'on vit en famille on est moins seul et plus en sécurité. Est-ce vrai ?

Allen a hoché la tête et marmonné quelque chose entre ses dents, puis il a dit :

— J'avais l'habitude de considérer mon temps comme s'il était divisé en plusieurs parties. J'en réservais une partie pour Joey, une autre pour Sue, une pour Ana et une pour le travail domestique. Le reste, je le considérais comme mon temps personnel où je pouvais lire, écrire, étudier ou aller me promener.

« Mais maintenant, je n'essaie plus de diviser mon temps en différentes parties. Je vois le temps que je passe avec Joey ou Sue comme mon propre temps. Lorsque j'aide Joey à faire ses devoirs, je m'efforce de le faire de façon que son temps soit aussi le mien. J'étudie la leçon avec lui, goûtant sa présence et m'intéressant à ce que nous faisons ensemble. Les moments que je lui accorde deviennent miens. Et c'est la même chose avec Sue. Ce qui est étonnant, c'est que je dispose désormais d'un temps illimité pour moi-même !

Tout en parlant, Allen souriait ; j'étais assez surpris car je voyais que ce n'était pas dans les livres qu'il avait appris cela mais au travers de sa propre expérience.

Laver la vaisselle pour laver la vaisselle

Il y a trente ans, alors que j'étais encore novice à la pagode Tu Hieu, laver la vaisselle était une tâche difficilement plaisante. Lors de la saison de retraite, quand tous les moines revenaient au monastère, deux novices devaient cuisiner et faire la vaisselle parfois pour plus de cent moines. Il n'y avait pas de savon, seulement des cendres, de la balle de riz et de noix de coco, c'était tout. Nettoyer une telle pile de bols était une vraie corvée, surtout l'hiver lorsque l'eau était glacée. Il fallait alors faire chauffer une grosse marmite d'eau avant de pouvoir commencer à récurer.

De nos jours, faire la vaisselle est infiniment plus plaisant. Les cuisines sont équipées de savon liquide, de brosses à récurer et même d'eau chaude courante qui rendent les choses tellement plus agréables. N'importe qui peut la faire en un rien de temps, puis s'asseoir pour boire tranquillement une tasse de thé. Bien que je lave mes vêtements à la main, je conçois parfaitement l'utilité d'une machine à laver le linge, mais je trouve qu'une machine à laver la vaisselle, c'est aller un peu trop loin.

Lorsque nous lavons les assiettes, lavons les assiettes. C'est tout. Cela signifie que nous devons être complètement conscients du fait que nous sommes en train de laver des assiettes. À première vue, cela paraît un peu idiot. Pourquoi accorder autant d'importance à une chose aussi évidente ? Mais tout est précisément là, ainsi qu'il est expliqué dans le *Satipatthana Sutta*, le Soutra de l'Établissement de la Conscience.

Le fait même que je sois là, debout près de l'évier, à laver ces assiettes, est tout simplement merveilleux. *Je suis entièrement moi-même*, en harmonie avec ma respiration, conscient de mon corps, de mes pensées et de mes gestes. *Je suis fermement présent* et non pas distrait, dispersé, semblable à une bouteille ballottée à la crête des vagues sur une mer agitée.

La tasse entre vos mains

J'ai un ami très proche aux États-Unis qui s'appelle Jim Forest. Lorsque je l'ai rencontré, il y a huit ans, il travaillait avec l'Association catholique pour la paix *(Catholic Peace Fellowship)*. L'hiver dernier, Jim m'a rendu visite. D'habitude, je fais la vaisselle juste après le dîner pour ensuite m'asseoir et prendre le thé avec mes invités. Un soir, Jim m'a demandé s'il pouvait laver la vaisselle. Je lui ai dit : « C'est d'accord, mais il faut le faire selon les règles de l'art. » Jim a répliqué : « Allons, pensez-vous que je ne sois pas capable de le faire correctement ? » Je lui ai répondu : « Il y a deux manières de laver la vaisselle : la première, c'est laver la vaisselle pour avoir des assiettes propres ; la seconde, c'est laver la vaisselle pour laver la vaisselle. » En entendant cela, Jim s'est réjoui : « Eh bien, je préfère nettement la deuxième solution : laver la vaisselle pour laver la vaisselle ! » Ce jour-là, je lui en ai transmis la responsabilité pour la semaine. Depuis, Jim sait faire la vaisselle.

Lorsque nous nettoyons les assiettes, si nous pensons uniquement à ce qui nous attend – une tasse de thé par exemple – nous allons tenter de nous débarrasser de la vaisselle au plus vite. Celle-ci devient une véritable corvée, un moment franchement déplaisant. Ce n'est pas *laver la vaisselle pour laver la vaisselle*. De plus, pendant tout ce temps, nous ne sommes pas vraiment vivants car complètement ignorants du fait que c'est un authentique miracle de la vie que d'être debout, là, près de l'évier ! Le problème est le suivant : si nous ne savons pas faire la vaisselle, il y a fort à parier que nous ne saurons pas non plus apprécier notre tasse de thé. Quand nous boirons notre thé, nous penserons à des tas d'autres choses, remarquant à peine la tasse entre nos mains. Nous nous trouvons constamment aspirés par le futur, totalement incapables de réellement vivre la moindre minute de notre vie. Le miracle, c'est de vivre profondément le moment présent.

Manger une mandarine

Je me souviens que la première fois que nous avons voyagé ensemble aux États-Unis, Jim et moi, il y a bien des années, nous nous sommes assis sous un arbre pour partager une mandarine. Il a commencé à parler de nos projets futurs. – Chaque fois que nous avions de nouvelles idées, Jim, inspiré et séduit, devenait tellement absorbé qu'il perdait totalement contact avec la situation présente. – Il a englouti un quartier de mandarine et, avant même de le mâcher, s'est apprêté à en engloutir un second. Il ne savait même pas qu'il était en train de manger une mandarine ! Tout ce que j'ai eu besoin de dire a été : « Vous feriez peut-être mieux de manger d'abord le quartier que vous avez dans la bouche. » Cette remarque a soudainement amené Jim à comprendre ce qu'il faisait. Il n'était pas vraiment en train de manger cette mandarine. En fait, ce qu'il *mangeait*, c'étaient ses projets d'avenir !

Une mandarine est composée de plusieurs quartiers. Si vous ne savez pas apprécier un seul quartier, vous ne pourrez pas manger une mandarine. En revanche, si vous savez manger un seul de ses quartiers, alors vous pourrez certainement la manger tout entière. Jim l'a compris. Doucement, il a baissé sa main et s'est concentré sur la présence du morceau qu'il avait déjà dans la bouche. Il l'a mâché avec attention avant de se saisir d'un autre quartier.

Quelques années plus tard, Jim s'est retrouvé en prison pour avoir manifesté son opposition à la guerre. Je me demandais s'il avait la force de supporter les quatre murs de sa prison et je lui ai envoyé ce petit mot : « Vous souvenez-vous de la mandarine qu'un jour nous avons partagée ? Votre prison est comme cette mandarine. Mangez-la et soyez un avec elle ; demain, elle ne sera plus. »

La discipline essentielle

Lorsque je suis entré au monastère, il y a plus de trente ans, les moines me donnèrent un petit livre intitulé *La Discipline essentielle à usage quoti-dien*, qui avait été écrit par le moine bouddhiste Doc The de la pagode Bao Son. Les moines me dirent d'apprendre par cœur cet ouvrage d'à peine une quarantaine de pages, qui contenait en fait les pensées que Doc The éveillait dans son esprit à toute occasion de la journée.

Par exemple, quand il se réveillait le matin, sa première pensée était : « Juste réveillé, je souhaite que tous les êtres atteignent un niveau de cons-cience élevé et qu'ils perçoivent clairement la réa-lité. » Lorsqu'il se lavait les mains, pour s'établir dans la Pleine Conscience, il utilisait cette pensée : « Me lavant les mains, je souhaite que tous les êtres reçoivent la réalité avec des mains pures. »

Le livre était entièrement constitué de phrases de ce genre. Leur objectif était d'aider celui qui débute dans la pratique à s'établir dans la Pleine Conscience de son être. Le Maître zen, Doc The, montrait ainsi aux jeunes novices que nous étions comment pratiquer de manière relativement aisée les enseignements du Soutra de l'Établissement de la Conscience.

Chaque fois que l'on mettait sa robe, lavait son bol, allait aux toilettes, pliait sa couverture, portait des seaux d'eau ou se brossait les dents, on pouvait utiliser l'une des pensées du petit livre afin d'être pleinement conscient de son être dans le moment présent.

Le Soutra de l'Établissement de la Conscience dit :

Lorsqu'il marche, le pratiquant doit être conscient qu'il marche. Lorsqu'il est assis, le pratiquant doit être conscient qu'il est assis. Lorsqu'il est allongé, le

*pratiquant doit être conscient qu'il est allongé.
Quelle que soit la position de son corps, le pratiquant doit être conscient de celle-ci. C'est ainsi que
le pratiquant vit en étant constamment et directement conscient de son corps.*

Cependant, la Pleine Conscience de la position
de son corps est insuffisante. Nous devons être
attentifs à chaque respiration, à chaque mouvement, à chaque pensée, sensation et émotion ; en
fait, à tout ce qui peut avoir un rapport avec notre
être.

Mais quel est l'objectif des enseignements de ce
Soutra ? Comment trouver le temps pour pratiquer la Pleine Conscience ? Si nous passons nos
journées à pratiquer de cette façon, comment
trouver le temps pour travailler au changement et
à la construction d'un monde nouveau ? Comment
Allen réussit-il à travailler, faire étudier ses leçons
à Joey, changer les couches d'Ana tout en pratiquant la Pleine Conscience ?

II

Le miracle c'est de marcher sur la terre

Depuis qu'il considère le temps passé avec Joey et Sue comme le sien, Allen dit que son temps est illimité. Mais peut-être ne l'est-il qu'en principe, car il y a forcément des moments où il oublie de voir le temps qu'il passe à étudier les leçons avec son fils comme son propre temps. Il peut avoir envie que les choses aillent plus vite, devenir impatient et avoir l'impression de perdre du temps. Aussi, pour que le temps devienne vraiment illimité, pendant les leçons étudiées avec Joey, il faut qu'il garde à l'esprit « *ceci est mon temps* ».

Cependant, il est inévitable qu'en de telles occasions l'esprit soit distrait par d'autres pensées ; et si l'on veut vraiment maintenir toute sa conscience éveillée (désormais, j'utiliserai le terme *Pleine Conscience* pour me référer au fait de garder une conscience éveillée à la réalité présente), il est nécessaire de pratiquer, dès maintenant, dans sa vie quotidienne, et pas uniquement dans les sessions de méditation.

Vous pouvez pratiquer la Pleine Conscience lorsque vous vous promenez dans la campagne.

Marchant sur un chemin de terre entouré d'herbe verte, vous faites l'expérience, grâce à cette pratique, de ce chemin qui vous mène au village. Il suffit d'éveiller cette pensée dans votre esprit : « Je marche sur ce sentier qui mène au village. » Qu'il fasse soleil ou qu'il pleuve, que le sol soit sec ou humide, vous maintenez cette unique pensée, mais sans toutefois la répéter machinalement comme un perroquet. La pensée machinale, automatique, est à l'opposé de la Pleine Conscience. Si nous sommes véritablement attentifs en marchant, alors, chaque pas que nous faisons devient infiniment merveilleux, et la joie s'épanouit dans notre cœur comme une fleur, nous permettant de pénétrer le monde de la réalité.

J'aime marcher seul dans la campagne, au milieu des rizières, sur les chemins bordés d'herbes sauvages. Quand je suis en train de marcher sur cette planète magnifique, à chaque pas, c'est en Pleine Conscience que je pose mon pied sur la terre. En de tels instants, l'existence est une réalité mystérieuse et miraculeuse.

Habituellement, les gens pensent que marcher sur l'eau ou dans les airs relève du miracle. Mais, personnellement, je crois que marcher sur terre est le véritable miracle. Chaque jour que nous vivons, nous sommes au milieu d'un prodige que nous n'apercevons même pas : le ciel bleu, les nuages blancs, les feuilles vertes, les yeux noirs et curieux d'un enfant, nos propres yeux… tout est miracle.

S'asseoir

Le Maître zen, Doc The, dit que lorsque l'on s'assied en méditation, il faut se tenir bien droit et faire naître dans son esprit cette pensée : « S'asseoir ici, c'est comme s'asseoir sous l'arbre Bodhi. » L'arbre Bodhi est l'arbre sous lequel le Bouddha a atteint l'éveil. Chacun de nous peut devenir un Bouddha. Toutes ces personnes innombrables qui sont parvenues à l'illumination sont des Bouddhas, et il est certain que beaucoup d'entre eux se sont déjà assis à l'endroit même où je me trouve en ce moment. S'asseoir au même endroit qu'un Bouddha procure beaucoup de bonheur, et s'asseoir en Pleine Conscience signifie que l'on est devenu un Bouddha. Le poète Nguyen Cong Tru vécut cette expérience un jour où il méditait : il vit soudain que beaucoup d'êtres s'étaient déjà assis à ce même endroit par le passé, et que dans le futur beaucoup s'y assiéraient encore :

> *À l'endroit où je suis assis aujourd'hui,*
> *D'autres sont venus jadis s'asseoir.*
> *Dans mille ans, d'autres encore viendront.*
> *Qui est celui qui chante, et qui est*
>   *celui qui écoute ?*

Cet endroit et les minutes qu'il y passa devinrent un maillon de la réalité éternelle.

Mais les personnes actives et engagées n'ont guère le loisir de se promener sur les chemins de campagne et de s'asseoir sous un arbre. Le travail ne leur manque pas : préparer des projets, consulter des associations, essayer de résoudre mille et un problèmes. Il leur faut affronter toutes sortes de difficultés, garder leur attention concentrée sur le travail à chaque instant, être alerte et prêt à prendre soin de la situation avec habileté et intelligence.

Vous pouvez alors me demander comment faire pour pratiquer la Pleine Conscience dans ces conditions.

Voici ma réponse : garder son attention concentrée sur le travail à chaque instant, être alerte et prêt à prendre soin de la situation avec compétence et intelligence – c'est cela même la Pleine Conscience. Pourquoi cela serait-il différent de la présence d'esprit qui est nécessaire dans tout travail ? Lorsque l'on prépare, consulte, résout et fait face à tous les problèmes qui surgissent, si l'on veut utiliser toute sa capacité de jugement, et de là obtenir de bons résultats, il est primordial d'avoir le cœur calme et une certaine maîtrise de soi. Tout le monde peut le comprendre. Si on ne se maîtrise pas et qu'au contraire on permette à l'impatience et à la colère de s'immiscer et de prendre le dessus, alors notre travail perd toute sa valeur.

La Pleine Conscience est le miracle grâce auquel nous pouvons nous maîtriser et revenir à nous-mêmes. Imaginons, par exemple, un magicien qui couperait son corps en morceaux et qui placerait chacun dans un lieu différent : les mains au sud, les bras à l'est, les jambes au nord, etc., et qui, grâce à un pouvoir magique, pousserait un cri puissant qui rassemblerait toutes les parties dispersées de son corps. La Pleine Conscience est semblable à cela : c'est le miracle qui, en un éclair, ramène notre esprit dispersé et le rétablit dans son intégralité, pour que nous vivions chaque minute de notre vie.

Contrôler sa respiration

La Pleine Conscience est à la fois le moyen et la fin, la graine et le fruit. Lorsque nous la pratiquons en vue de développer notre concentration, elle est une graine. Mais la Pleine Conscience est elle-même la vie de la conscience : sa présence implique la présence de la vie ; par conséquent, c'est aussi un fruit. La Pleine Conscience nous libère de la négligence et de la dispersion et nous permet de vivre pleinement chaque minute de vie.

Pour maintenir la Pleine Conscience et prévenir la dispersion, nous nous servons d'un outil naturel extrêmement efficace : la respiration. La respiration est le pont qui relie la vie et la conscience, qui unit le corps et le mental. Chaque fois que votre esprit se dissipe, utilisez la respiration comme moyen de le ramener ici et maintenant.

Prenez une longue inspiration, douce et légère, et soyez conscient du fait que vous inspirez longuement. Ensuite, expirez complètement en étant conscient de toute votre expiration.

Le Soutra de l'Établissement de la Conscience explique ainsi la méthode de l'attention à la respiration :

Inspirant, le pratiquant sait qu'il inspire ; expirant, il sait qu'il expire.

Inspirant longuement, il sait : « J'inspire longuement. »

Expirant longuement, il sait : « J'expire longuement. »

Inspirant brièvement, il sait : « J'inspire brièvement. »

Expirant brièvement, il sait : « J'expire brièvement. »

« J'inspire et je suis clairement conscient de mon corps tout entier. J'expire et je suis clairement conscient de mon corps tout entier. »

« J'inspire et je calme les activités de mon corps. J'expire et je calme les activités de mon corps. »

C'est ainsi qu'il pratique.

Dans un monastère bouddhiste, tout le monde apprend à se servir de sa respiration comme d'un outil pour arrêter la dispersion mentale et développer le pouvoir de concentration. La concentration est la force provenant de la pratique de la Pleine Conscience. C'est elle qui peut nous aider à atteindre le Grand Éveil. Lorsqu'un être humain est conscient de sa propre respiration, il est déjà éveillé. Pour être en mesure de maintenir la Pleine Conscience pendant une période prolongée, il nous faut continuer à observer notre respiration.

*
* *

Ici, c'est l'automne, et les feuilles rousses qui tombent une à une sont réellement magnifiques. Après avoir marché dix minutes dans la forêt, attentif à ma respiration et pratiquant la Pleine Conscience, je me sens rafraîchi et en pleine forme. Je peux ainsi vraiment entrer en communion avec chaque feuille.

Bien sûr, il est plus facile de maintenir la Pleine Conscience lorsque l'on marche seul dans la campagne. Si un ami est à vos côtés, silencieux et attentif à sa respiration, cela n'est pas difficile non plus. Mais cela se complique lorsque votre ami commence à parler.

Si, à ce moment-là, vous pensez : « J'aimerais qu'il s'arrête de parler pour que je puisse me concentrer », vous avez déjà perdu votre calme. Mais si, au contraire, vous pensez : « S'il désire parler, je lui répondrai, tout en restant attentif au fait que nous marchons ensemble sur ce chemin, conscient de ce que nous disons ; je peux également continuer à observer ma respiration », et que vous arrivez à mettre cette pensée en pratique, alors vous poursuivrez votre promenade en pleine conscience.

Pratiquer dans de telles conditions est plus délicat que pratiquer seul, mais, en persévérant, vous développerez une plus grande capacité de concentration. Une chanson populaire vietnamienne dit :

« Il est bien plus difficile de pratiquer la Voie dans le contexte familial et social qu'au milieu de la foule et plus encore qu'à la pagode ! » Ce n'est que dans une situation active et exigeante que la Pleine Conscience devient véritablement un défi.

Mesurer et suivre sa respiration

Dans les sessions de méditation que j'organise pour les non-Vietnamiens, je suggère habituellement différentes méthodes très simples que j'ai déjà essayées. Pour les débutants, je propose parfois la méthode qui consiste à *suivre la longueur de sa respiration*. J'invite une personne à s'allonger par terre sur le dos. Puis je demande alors à tous les participants de l'entourer et de l'observer pour que je puisse mettre en évidence ce qui se passe quand on respire :

Bien qu'inspiration et expiration soient le travail des poumons et se produisent dans la région du thorax, la région de l'abdomen joue aussi un certain rôle. L'abdomen s'élève lorsque les poumons se remplissent. Au début de l'inspiration, l'abdomen ressort et, aux deux tiers de celle-ci, il commence à s'abaisser.

Ce qui explique ce fonctionnement est l'existence d'une membrane musculaire séparant le thorax de l'abdomen : le diaphragme. Lorsque vous inspirez correctement, l'air remplit d'abord la partie inférieure des poumons, puis la partie supérieure ; le diaphragme pousse donc vers le bas, ce qui fait ressortir l'abdomen. Lorsque l'air remplit le haut des poumons, la poitrine se gonfle et l'abdomen s'abaisse.

C'est la raison pour laquelle les gens disaient autrefois que la respiration commençait au nombril et se terminait aux narines.

Pour les débutants, la position allongée est très utile pour observer la respiration. Le point important est de ne pas faire trop d'efforts, cela pourrait être dangereux pour les poumons, surtout s'ils ont été affaiblis par de nombreuses années de respiration incorrecte.

Au début, allongez-vous sur un petit matelas ou une couverture, laissez vos bras étendus de chaque côté du corps, sans coussin sous la tête.

Portez votre attention sur l'expiration et observez sa durée. Mesurez-la en comptant doucement, mentalement : 1, 2, 3... Après plusieurs essais, vous connaîtrez la « longueur » de votre expiration. Imaginons que ce soit 5. Maintenant, essayez d'allonger l'expiration d'un temps ou deux pour que sa durée atteigne 6 ou 7. Commencez à respirer en comptant de 1 à 5, et plutôt que d'inspirer immédiatement comme auparavant, essayez de continuer à vider l'air de vos poumons en comptant jusqu'à 6 ou 7. À la fin de l'expiration, faites une pause en laissant vos poumons se remplir d'eux-mêmes d'air frais, autant qu'ils en ont naturellement besoin, sans aucun effort. Normalement, l'inspiration est un peu plus courte que l'expiration. Continuez à compter mentalement avec régularité pour mesurer la durée de l'une et de l'autre. Pratiquez de cette façon dans la position allongée pendant plusieurs semaines en étant conscient de chaque inspiration et expiration.

Le tic-tac d'une pendule est parfois un auxiliaire précieux pour conserver des phases régulières à notre respiration.

Continuez à mesurer la longueur de votre respiration lorsque vous marchez, lorsque vous êtes assis ou debout, et particulièrement lorsque vous êtes en plein air. En marchant, vous pouvez utiliser vos pas pour mesurer votre respiration. Après environ un mois de pratique, la différence de longueur entre inspiration et expiration diminuera jusqu'à ce qu'elles deviennent progressivement égales. Si l'expiration est longue de six temps, l'inspiration le sera aussi.

En cas de sensation de fatigue pendant la pratique, arrêtez-vous immédiatement. Même si tout va bien, ne prolongez pas trop ces périodes de respirations longues et égales – dix à vingt respirations sont suffisantes. Dès que vous sentez la moindre fatigue, revenez à votre rythme respiratoire naturel. La fatigue est en effet un excellent mécanisme de notre corps : elle nous indique si nous devons arrêter ou continuer. Afin de mesurer votre respiration, vous pouvez compter ou alors vous servir d'une phrase rythmée de votre choix.

Par exemple, si votre inspiration est de cinq temps, au lieu de compter, vous pouvez utiliser une phrase de cinq syllabes comme : « Mon cœur est en paix », ou encore, pour six temps, « Ici et maintenant ». Si elle est de sept temps, un chrétien peut dire « Notre Père qui êtes aux cieux » ; un bouddhiste, « Le Bouddha est mon refuge ». Lorsque vous marchez, chaque pas doit correspondre à une syllabe.

Une respiration calme

Votre respiration doit être légère, régulière et couler tel un ruisseau sur le sable. Elle doit être très paisible, silencieuse au point que la personne assise à vos côtés ne puisse l'entendre. Votre respiration doit couler avec la grâce d'une rivière, avec l'aisance d'une couleuvre d'eau qui glisse silencieusement, et non chaotique comme le parcours des crêtes des montagnes ou saccadée comme le galop d'un cheval.

Maîtriser sa respiration, c'est contrôler son corps et son esprit. Chaque fois que nous sommes dispersés, que nous n'arrivons plus à nous contrôler, nous devrions devenir attentifs à notre respiration.

Dès l'instant où vous vous asseyez pour méditer, commencez à observer votre respiration. Tout d'abord, respirez normalement, puis laissez le souffle ralentir progressivement jusqu'à ce qu'il soit calme, régulier et assez long. Depuis le moment où vous vous asseyez jusqu'à celui où le souffle est profond et silencieux, soyez conscient de tout ce qui se passe en vous.

Ainsi que le Soutra de l'Établissement de la Conscience le dit :

Inspirant, il (ou elle) sait clairement qu'il inspire.
Expirant, il sait clairement qu'il expire.
Inspirant longuement, il sait : « J'inspire longuement. »
Expirant longuement, il sait : « J'expire longuement. »
Inspirant brièvement, il sait : « J'inspire brièvement. »
Expirant brièvement, il sait : « J'expire brièvement ».
Il utilise la pratique suivante :
« J'inspire et je suis clairement conscient de mon corps tout entier. J'expire et je suis clairement conscient de mon corps tout entier. »
Puis, « J'inspire et je calme les activités de mon corps.
J'expire et je calme les activités de mon corps ».

Après dix à vingt minutes de pratique, vos pensées se seront calmées et votre esprit ressemblera à un étang paisible, sans la moindre ride.

Compter la respiration

La méthode pour rendre votre respiration calme et régulière est appelée *suivre sa respiration*. Si elle vous paraît difficile au début, vous pouvez simplement compter votre respiration.

Lorsque vous inspirez, comptez mentalement 1, et en expirant, comptez 1. Inspiration 2, expiration 2. Continuez ainsi jusqu'à 10, puis revenez à 1. Ce compte est semblable à un fil qui relie votre conscience à la respiration. Cet exercice est le point de départ du processus qui conduit à une attention constante à la respiration. Cependant, si vous n'êtes pas pleinement conscient, vous perdrez très vite votre compte. Lorsque vous le perdez, revenez tout simplement à 1 et essayez de nouveau jusqu'à ce que vous soyez en mesure de le conserver correctement. Une fois que vous y parvenez, vous avez atteint le point où vous êtes capable d'abandonner la méthode du compte et de commencer à vous concentrer uniquement sur la respiration elle-même.

Quand vous êtes contrarié ou agité et qu'il vous est difficile de pratiquer la Pleine Conscience, revenez à votre respiration. La respiration est un outil merveilleux pour être en contact avec notre conscience. En fait, être avec sa respiration est en soi-même Pleine Conscience.

Ainsi qu'il est dit dans l'une des règles de la communauté de l'Ordre de l'Inter-Être (dont les membres sont aussi bien laïques que religieux) :

« *On ne devrait pas se perdre dans la dispersion mentale ou se laisser solliciter par ce qui nous entoure. En pratiquant la respiration consciente, on retrouve le contrôle du corps et de l'esprit, on établit la Pleine Conscience et on développe la concentration et la sagesse.* »

Chaque acte est un rite

Imaginez un mur très haut, du sommet duquel on peut voir de vastes étendues. Il n'y a aucun moyen apparent de l'escalader, si ce n'est un fil passant par-dessus le mur et pendant de chaque côté. Une personne intelligente attachera une ficelle à l'un des bouts, ira de l'autre côté du mur puis tirera sur le fil pour amener la ficelle par-dessus le mur. De la même façon, elle attachera une corde à l'une des extrémités de la ficelle pour la faire passer par-dessus. Ainsi, en fixant la corde de l'un des côtés du mur, il sera relativement aisé d'escalader le mur et d'arriver au sommet.

Notre respiration est semblable à ce fil ténu. Cependant, une fois que nous savons l'utiliser, elle peut devenir un outil merveilleux pour nous aider à surmonter des situations qui apparaissent désespérées. Notre respiration est le pont qui relie notre corps à notre esprit ; elle est l'élément qui les réconcilie et qui rend possible l'unité corps-esprit. La respiration est en relation étroite avec le corps et avec l'esprit et elle seule permet de les unir, de leur apporter toute la lumière ainsi que le calme et la paix.

Bien des livres et bien des personnes expliquent les bienfaits immenses résultant d'une respiration correcte. Ils témoignent de ce qu'une personne qui sait respirer est dotée d'une vitalité sans limites : la respiration forme les poumons, renforce le sang et revitalise tous les organes de notre corps. Ils disent aussi qu'une respiration correcte est plus importante encore que la nourriture. Toutes ces affirmations sont fondées.

Il y a quelques années, j'ai été extrêmement malade. Après plusieurs années de traitements médicaux et de médicaments, ma santé ne s'était pas améliorée. Je me suis donc tourné vers cette méthode de respiration et, grâce à elle, j'ai réussi à me guérir.

La respiration est un instrument ; elle est Pleine Conscience. L'utiliser comme un outil permet d'obtenir de grands bénéfices, mais il ne faut toutefois pas les considérer comme une fin en soi. Ces bienfaits ne sont que des « sous-produits » de la réalisation de la Pleine Conscience.

Dans ma petite classe de méditation pour non-Vietnamiens, il y a beaucoup de jeunes. Je leur ai dit que si chacun pratiquait une heure par jour, c'était bien, mais en aucun cas suffisant, que la méditation devait être pratiquée en marchant, en étant debout, allongé, assis, au travail, en se lavant les mains, en faisant la vaisselle, en balayant, en buvant le thé, en parlant à ses amis, quoi que l'on fasse. Je leur ai dit qu'en faisant la vaisselle, on pense peut-être à la tasse de thé qui nous attend, et que l'on essaye de se débarrasser au plus vite de cette corvée pour s'asseoir et prendre le thé, mais que cela signifie seulement que l'on est incapable de vivre ce temps que l'on passe à faire la vaisselle.

Lorsque vous faites la vaisselle, cela doit devenir la chose la plus importante de votre vie. Lorsque vous buvez du thé, faites-en la chose essentielle de votre vie. Même aller aux toilettes devient la chose primordiale de votre vie. Il en est ainsi de toutes choses. Couper du bois est une méditation. Porter des seaux d'eau est une méditation. Soyez conscient pendant les vingt-quatre heures de la journée, et non simplement pendant l'heure que vous passez en méditation assise, ou à lire les Écritures et à prier.

Chaque acte doit être accompli dans la Pleine Conscience. Chaque acte est un rite, une cérémonie. Approcher la tasse de thé de vos lèvres est un rite. Peut-être le mot *rite* vous paraît-il trop solennel ? Je l'emploie afin de frapper votre esprit et de vous amener à comprendre l'importance fondamentale de la Pleine Conscience dans notre vie.

III

Une journée de Pleine Conscience

Nous devrions pratiquer la Pleine Conscience à chaque heure de chaque jour. C'est facile à dire, mais le mettre en pratique ne l'est pas. C'est pourquoi je suggère aux personnes qui participent aux cours de méditation de s'efforcer de réserver un jour de la semaine qui serait entièrement consacré à la pratique de la Pleine Conscience. Bien sûr, en principe, chaque jour est votre jour, chaque heure est votre heure. Mais le fait est que peu d'entre nous ont atteint ce point. Nous avons l'impression que notre famille, notre travail et la société nous dérobent tout notre temps. Aussi, je recommande que l'on réserve au moins un jour par semaine.

Si ce jour est le samedi, que le samedi soit alors complètement votre journée, que vous en soyez le maître. De cette manière, le samedi sera le levier qui vous amènera à établir en vous l'habitude de la pratique de la Pleine Conscience. Tous les travailleurs sociaux, tous ceux et celles qui œuvrent pour la paix, quelle que soit l'urgence de leur tâche, ont le droit d'avoir une telle journée ; sans elle, nous nous perdrions rapidement dans une vie inquiète et agitée, et nos réponses aux problèmes seraient de moins en moins appropriées. Quel que soit le jour choisi, considérons-le comme la journée de Pleine Conscience.

Une journée de pratique

Pour établir une journée de Pleine Conscience, trouvez un moyen de vous souvenir, dès le moment où vous ouvrez les yeux, que cette journée est votre journée de pratique. Par exemple, vous pouvez accrocher, au plafond ou au mur, une feuille de papier avec les mots *Pleine Conscience*, ou encore une pomme de pin – n'importe quoi qui vous rappelle au réveil : « Aujourd'hui, c'est mon jour. » En vous en souvenant, un sourire naîtra peut-être sur votre visage : ce sourire est la preuve que vous êtes totalement présent, et il nourrit votre Pleine Conscience.

Alors que vous êtes encore allongé dans votre lit, commencez à suivre doucement votre respiration – inspirations et expirations lentes, profondes et conscientes. Puis, au lieu de vous lever d'un bond comme d'habitude, redressez-vous et sortez du lit de façon à ce que chacun de vos mouvements nourrisse votre attention. Ensuite, accomplissez vos gestes du matin, toilette, brossage des dents, etc., d'une manière calme et détendue, attentif à chaque action. Suivez votre respiration, sans vous en écarter ni vous laisser disperser par vos pensées. Chaque mouvement doit être fait calmement. Mesurez vos pas avec de longues et paisibles respirations. Maintenez votre demi-sourire.

Passez au moins une demi-heure dans votre bain, en faisant votre toilette doucement, attentivement. Au sortir du bain, vous devez vous sentir rafraîchi et léger. Vous pouvez ensuite passer aux travaux de la maison, vaisselle, nettoyage, balayage, rangement. Quelle que soit l'activité, faites-la doucement, tranquillement, en Pleine Conscience. N'accomplissez aucune activité avec l'idée de vous en débarrasser. Prenez la résolution de tout faire de manière détendue, avec toute votre attention. Appréciez votre tâche, ne faites qu'un avec elle. Sinon, la journée de la Pleine Conscience n'aura aucune valeur. Si vous pratiquez correctement, la sensation désagréable associée à certains travaux disparaîtra rapidement. Prenez exemple sur les Maîtres zen. Quels que soient leurs mouvements et leurs activités, ils agissent doucement, régulièrement et sans répugnance.

Le silence

Pour les débutants dans la pratique, il est préférable de maintenir une atmosphère de silence tout au long de la journée. Mais cela ne veut pas dire qu'il ne faille pas parler du tout. Vous pouvez parler, vous pouvez même chanter mais, si vous le faites, soyez totalement attentif à ce que vous dites ou chantez, et réduisez ces moments au minimum. Naturellement, il est possible de chanter et de pratiquer la Pleine Conscience en même temps, tant que l'on est conscient du fait que l'on chante et conscient de ce que l'on chante. Mais si votre force de méditation est encore faible, sachez qu'il est probable qu'en chantant ou qu'en parlant, vous perdiez la Pleine Conscience.

À midi, préparez votre repas, cuisinez et faites votre vaisselle en Pleine Conscience. Dans la matinée, après avoir nettoyé et rangé votre maison, et l'après-midi, après avoir travaillé dans le jardin ou observé les nuages ou cueilli des fleurs, préparez-vous du thé et dégustez-le dans la Pleine Conscience. Accordez-vous suffisamment de temps pour prendre ce thé. N'ingurgitez pas le contenu de votre tasse comme on le fait habituellement lors d'une pause-café à son travail. Buvez votre thé lentement, respectueusement, comme si cette action était l'axe même autour duquel la Terre tourne, en douceur, régulièrement, sans se précipiter vers le futur. Vivez le moment présent. Seul cet instant présent est vie. Ne vous attachez pas au futur. Ne vous inquiétez pas des choses que vous avez à faire. Vous n'avez nul besoin de vous lever pour faire quoi que ce soit, nul besoin de penser à partir.

> *Soyez bourgeon posé calmement sur la haie,*
> *Soyez sourire, faisant partie de cette*
> *merveilleuse existence,*
> *Tenez-vous là. Nul besoin de partir.*
> *Ce pays est aussi magnifique*
> *que le pays de notre enfance.*
> *Ne lui faites pas de mal, s'il vous plaît,*
> *et continuez à chanter.*
> *(Papillon au-dessus du champ doré*
> *de fleurs de moutarde.)*

Dans la soirée, vous pouvez lire ou copier des passages des Écritures, écrire des lettres à vos amis, ou faire quelque chose d'autre que vous aimez et qui vous change de vos activités de la semaine. Que la

Pleine Conscience éclaire vos activités, quelles qu'elles soient. Prenez un dîner léger. Plus tard, vers dix ou onze heures, il vous sera plus facile de pratiquer la méditation assise avec un estomac vide. Vous pouvez ensuite vous promener dans l'air frais de la nuit, en suivant votre respiration en Pleine Conscience et en mesurant sa durée avec vos pas. Pour finir, regagnez votre chambre et endormez-vous en conscience.

D'une façon ou d'une autre, il nous faut trouver un moyen pour que ceux qui travaillent bénéficient d'un jour de Pleine Conscience. Une telle journée est cruciale. Son effet sur les autres jours de la semaine est incommensurable. Il y a dix ans, grâce à de telles journées de Pleine Conscience, thay Thanh Van et nos autres sœurs et frères de l'Ordre Tiep Hien (Ordre de l'Inter-Être) furent en mesure de surmonter des périodes très difficiles. Si vous observez ainsi une journée par semaine pendant trois mois, je suis certain que vous constaterez un changement important dans votre vie. Cette journée influencera les autres jours de la semaine, vous permettant progressivement de vivre toute la semaine en Pleine Conscience. Je suis sûr que vous serez d'accord avec moi quant à l'importance d'une journée de Pleine Conscience.

IV

La méditation

Pourquoi méditer ? Tout d'abord, parce que chacun d'entre nous a besoin d'un repos total. Même une nuit de sommeil ne procure pas un repos complet. Se tourner et se retourner dans son lit, les muscles du visage tendus, rêver toute la nuit, ce n'est pas du repos ! Faire une courte sieste après avoir mangé mais être néanmoins agité et tendu, ce n'est pas du repos non plus !

L'assise

Allongé sur le dos, les bras et les jambes droits, sans être tendus, pas d'oreiller sous la tête, voilà une bonne position pour pratiquer la respiration et détendre tous ses muscles. Cette position de méditation ne permet pas d'aller aussi loin que la position assise, car on s'y endort facilement. Il est possible de trouver un repos complet dans la position assise, ce qui permet d'approfondir sa méditation et de résoudre les inquiétudes et les problèmes qui obscurcissent et inhibent la conscience.

Parmi les travailleurs vietnamiens, nombreux sont ceux qui s'assoient dans la position du lotus, le pied gauche placé sur la cuisse droite et le pied droit sur la cuisse gauche. D'autres s'assoient en demi-lotus, pied gauche sur la cuisse droite ou pied droit sur la cuisse gauche. Dans notre cours de méditation à Paris, certaines personnes ne se sentaient pas à l'aise dans ces postures, aussi leur ai-je montré comment s'asseoir à la manière japonaise, c'est-à-dire à genoux. En mettant un coussin sous ses pieds, il est possible de rester assis pendant plus d'une heure et demie. Malgré tout, n'importe qui peut apprendre à s'asseoir en demi-lotus, même si les débuts sont un peu douloureux. En quelques semaines de pratique, la position deviendra progressivement confortable.

Pendant la période initiale, lorsque la douleur se fait gênante, alternez la position des jambes ou changez de posture. En lotus ou demi-lotus, il est indispensable d'utiliser un coussin pour s'asseoir afin que les deux genoux touchent le sol. Ces trois points de contact avec le sol permettent d'obtenir une position extrêmement stable.

Il est très important que le dos soit bien droit, la nuque et la tête droites, alignées avec la colonne vertébrale, sans rigidité, le regard fixé à un mètre ou deux devant vous.

Commencez alors à suivre votre respiration et détendez tous vos muscles. Concentrez-vous sur la rectitude de votre colonne vertébrale et sur votre respiration. Pour tout le reste, lâchez prise. Abandonnez tout. Si vous voulez relaxer les muscles de votre visage tendus par l'anxiété, laissez fleurir un demi-sourire ; lorsque celui-ci naît, tous les muscles faciaux commencent à se détendre. Plus le sourire est là, mieux vous vous sentirez. Le sourire illumine le visage du Bouddha.

Placez votre main gauche, paume vers le ciel, dans votre paume droite. Détendez tous les muscles des mains, des doigts, des bras et des jambes. Lâchez prise, laissez tout aller, comme ces plantes aquatiques qui passent au fil du courant alors que, sous la surface de l'eau, les rochers demeurent immobiles. Ne vous attachez à rien d'autre qu'à la respiration et au demi-sourire.

Il est préférable que les débutants ne s'assoient pas plus de vingt ou trente minutes, période suffisante pour obtenir un repos total. La technique pour atteindre cette détente complète est fondée sur deux points : observer et lâcher prise ; observation de la respiration et lâcher prise de tout le reste. Relaxez chaque muscle de votre corps. Après environ quinze minutes, il est possible d'atteindre un état de calme profond rempli de paix intérieure et de joie. Maintenez ce calme et cette paix.

Ceux qui considèrent la méditation comme un dur labeur et attendent avec impatience qu'elle se termine pour pouvoir ensuite se reposer ne savent pas encore comment s'asseoir. Si l'on est assis correctement, on trouve dans l'assise une relaxation totale et la paix. Cela peut aider de méditer sur l'image du caillou jeté dans une rivière.

Le caillou

Comment utiliser cette image ? Asseyez-vous dans la position qui vous convient le mieux, lotus ou demi-lotus, le dos bien droit, le demi-sourire sur le visage. Respirez doucement et profondément, en suivant chaque respiration, en devenant un avec le souffle. Puis détachez-vous de tout le reste. Imaginez que vous êtes un caillou qui a été jeté dans une rivière. Ce caillou s'enfonce dans l'eau sans effort. Détaché de tout, il coule par le chemin le plus direct, pour finalement atteindre le fond, point de repos parfait. Vous êtes vous-même ce caillou qui se laisse tomber au fond, en total abandon. Au centre de votre être se trouve votre respiration. Vous n'avez nul besoin de savoir le temps qu'il vous faudra pour arriver à cet endroit de repos complet, le sable fin du lit de la rivière. Lorsque vous vous sentez telle la pierre posée sur le fond, vous commencez alors à faire l'expérience de ce repos. Vous n'êtes plus poussé ou tiraillé par quoi que ce soit.

Si vous ne trouvez pas la joie et la paix dans ces moments d'assise, alors le futur lui-même ne fera que s'écouler tel un fleuve sans que vous puissiez le retenir ; vous serez incapable de vivre le futur lorsque celui-ci sera devenu présent. La joie et la paix sont la joie et la paix accessibles dans cette heure même de méditation assise. Si vous ne pouvez les y trouver, vous ne les trouverez nulle part ailleurs. Au lieu de courir après vos pensées et de les poursuivre comme une ombre son objet, faites l'expérience de la joie et de la paix dans cet instant précis.

C'est votre moment. La place où vous êtes assis est votre place. C'est à cet endroit précis et en ce moment précis que vous pouvez vous éveiller. Il n'est pas nécessaire de s'asseoir sous un arbre particulier dans un pays lointain. Pratiquez de cette façon pendant quelques mois et vous commencerez à connaître une joie profonde et régénératrice.

La facilité avec laquelle vous vous asseyez dépend de l'importance de votre Pleine Conscience dans la vie quotidienne et de la régularité de votre pratique de la méditation assise. Chaque fois que cela est possible, retrouvez vos amis et vos proches et organisez une heure de méditation assise, par exemple le soir vers dix heures. Quiconque le désire peut venir s'asseoir une demi-heure ou une heure.

Observer et reconnaître

On pourrait alors se demander si la relaxation est l'unique objectif de la méditation. En fait, le but de la méditation est beaucoup plus profond. La relaxation est l'indispensable point de départ, mais une fois que vous l'avez obtenue, il devient possible d'atteindre la tranquillité du cœur et la clarté de l'esprit. Et atteindre cela, c'est être déjà bien avancé dans la voie de la méditation.

Il est évident que pour maîtriser notre esprit et calmer nos pensées, nous devons pratiquer la Pleine Conscience de nos sentiments et de nos perceptions. Pour contrôler le mental, il faut pratiquer la Pleine Conscience du mental, observer et reconnaître la présence de chaque sensation, chaque émotion, chaque sentiment ou de chaque pensée se manifestant en nous. Le Maître zen, Thuong Chieu, a écrit : « Si le pratiquant connaît clairement son propre esprit, il obtiendra des résultats avec peu d'efforts. Si, en revanche, il ne connaît rien à son propre esprit, tous ses efforts seront gâchés. » Si vous voulez connaître votre esprit, il n'existe qu'un seul moyen : observer et reconnaître tout ce qui le concerne. Cela est l'affaire de chaque instant, autant dans la vie quotidienne que pendant l'heure de méditation.

Pendant la méditation, différentes sensations, émotions, différents sentiments et pensées peuvent apparaître. Si vous ne pratiquez pas la respiration consciente, ces pensées vous emmèneront rapidement très loin de la Pleine Conscience. Cependant, la respiration n'est pas uniquement un moyen de chasser les pensées et les sentiments. Le souffle demeure le véhicule qui unit le corps et l'esprit et qui ouvre les portes de la sagesse.

Lorsqu'une émotion ou une pensée apparaît, n'essayez pas de la chasser, même si en continuant à vous concentrer sur le souffle, celle-ci disparaît naturellement de votre esprit. L'intention n'est pas de la chasser, de la détester, de s'en inquiéter ou d'en avoir peur. Alors que devez-vous faire exactement avec ces émotions et ces pensées ? Simplement reconnaître leur présence. Par exemple, quand un sentiment de tristesse apparaît, reconnaissez-le immédiatement : « Un sentiment de tristesse vient de naître en moi. » Si ce sentiment de tristesse persiste, continuez à le reconnaître : « Le sentiment de tristesse est toujours en moi. » S'il vous vient une pensée comme : « Il est tard et les voisins font beaucoup de bruit », notez l'apparition de cette pensée dans votre esprit. Si elle persiste, continuez à la reconnaître. De même pour toute nouvelle sensation, reconnaissez-la dès son apparition. Le point essentiel est de ne pas laisser se manifester la moindre pensée ou émotion sans en prendre note, tel un garde aux portes d'un palais, attentif au visage de toutes les personnes qui se présentent.

Dans le cas où aucune pensée, aucune sensation ne sont présentes, reconnaissez le simple fait de leur absence. Pratiquer de cette manière, c'est devenir pleinement conscient de vos pensées et de vos émotions. Ainsi, vous arriverez rapidement à maîtriser votre mental. Bien sûr, on peut allier la méthode de la Pleine Conscience de la respiration avec celle des émotions et des pensées.

Le garde, ou l'ombre du singe

En pratiquant la Pleine Conscience ne soyez pas obnubilé par la distinction entre le bien et le mal, ce qui serait la cause d'une lutte intérieure. Lorsqu'une pensée saine apparaît en vous, reconnaissez-la : « Une pensée saine naît en moi. » Si c'est une pensée malsaine qui apparaît, soyez-en conscient de la même façon : « Une pensée malsaine naît en moi. » Même si elle ne vous plaît pas beaucoup, ne vous fixez pas dessus et n'essayez pas non plus de vous en débarrasser. Simplement la reconnaître est suffisant.

Si elle a disparu, vous devez savoir qu'elle a disparu, si elle est encore là, sachez qu'elle est encore là. Une fois que vous aurez atteint un tel état de conscience, vous n'aurez plus jamais peur de quoi que ce soit.

Lorsque j'ai mentionné le garde devant le portail du palais de l'empereur, vous avez peut-être imaginé un portail avec deux portes, l'une pour entrer, l'autre pour sortir, et le garde dans le rôle de votre esprit. Quelles que soient les pensées et les émotions qui entrent, vous êtes conscient de leur entrée, et quand elles partent, vous êtes conscient de leur départ.

Seulement, cette image présente un défaut : elle suggère que ceux qui entrent et qui sortent sont différents du garde. En fait, nos pensées et nos sensations sont nous-mêmes ; elles sont une partie de nous. Nous avons la tentation de les considérer, du moins certaines d'entre elles, comme une force ennemie qui tente de perturber notre concentration et la compréhension de notre esprit.

Mais en réalité, lorsque nous sommes en colère, nous sommes nous-mêmes colère. Quand nous sommes heureux, nous sommes nous-mêmes bonheur. Quand nous avons certaines pensées, nous sommes nous-mêmes ces pensées. Nous sommes simultanément le garde et le visiteur. Nous sommes à la fois l'esprit et l'observateur de l'esprit. Par conséquent, chasser une pensée ou se fixer sur elle n'est pas le point important. Le point important est d'être conscient de la pensée. Cette observation ne prend pas l'esprit pour objet : elle n'établit pas de distinction entre sujet et objet. L'esprit ne se saisit pas de l'esprit ; l'esprit ne rejette pas l'esprit. L'esprit ne peut que s'observer lui-même. Cette observation n'est pas une observation d'un objet extérieur, indépendant de l'observateur. L'esprit observateur est un avec l'esprit observé.

Pleine Conscience des sensations dans les sensations, Pleine Conscience de l'esprit dans l'esprit

Souvenez-vous du Koan posé par le Maître zen, Bach An : « Quel est le son d'une main qui applaudit ? » Ou prenez l'exemple de la sensation de goût ressentie par la langue : qu'est-ce qui sépare le goût de la papille gustative ?

L'esprit fait directement l'expérience de lui-même à l'intérieur de lui-même. Cela est tellement important que le Bouddha a utilisé dans le Soutra de l'Établissement de la Conscience l'expression « Pleine Conscience des sensations dans les sensations, Pleine Conscience de l'esprit dans l'esprit ». Certaines personnes ont dit que le Bouddha avait utilisé cette expression pour mettre l'accent sur des mots tels que sensations ou esprit ; cependant, je ne pense pas qu'elles aient vraiment saisi l'intention du Bouddha.

La Pleine Conscience des sensations dans les sensations est la Pleine Conscience directe des sensations, alors même que l'on fait l'expérience de celles-ci. Ce n'est certainement pas la contemplation d'une *image* de sensation que l'on crée pour donner à la sensation une existence propre séparée et objective à l'extérieur de soi-même.

Les mots pour le décrire ressemblent un peu à une devinette ou à une phrase paradoxale : la Pleine Conscience de la sensation dans la sensation, c'est l'esprit faisant l'expérience de la Pleine Conscience de l'esprit dans l'esprit. L'objectivité d'un observateur extérieur dans l'examen d'un phénomène, c'est la méthode de la science, pas de la méditation. Par conséquent, l'image du garde et du visiteur ne parvient pas à illustrer de manière adéquate l'observation consciente de l'esprit.

L'esprit est semblable à un singe se balançant de branche en branche à travers la forêt, dit le Soutra. Afin de ne pas perdre de vue ce singe agile, nous devons constamment l'observer et même devenir un avec lui. L'esprit contemplant l'esprit est similaire à un objet et à son ombre – l'objet ne peut pas se débarrasser de son ombre. Les deux sont un. Où que l'esprit aille, il se trouve toujours dans le harnais de l'esprit.

Le Soutra utilise parfois l'expression « attacher le singe » pour se référer au contrôle de l'esprit. Mais l'image du singe n'est qu'une allégorie. Une fois que l'esprit est directement et continuellement attentif à lui-même, ce n'est plus un singe. Il n'y a pas deux esprits, l'un qui se balance de branche en branche, et l'autre qui le poursuit afin de l'attraper avec une corde.

Ne rien attendre

La personne qui pratique la méditation espère habituellement voir dans sa propre nature pour atteindre l'éveil. Mais si vous êtes débutant, n'attendez pas de « voir dans votre propre nature ». Bien mieux, n'attendez rien. Et particulièrement, n'attendez pas de voir le Bouddha ou toute autre version de la « réalité ultime » pendant que vous êtes assis.

Durant les six premiers mois, essayez uniquement d'édifier votre pouvoir de concentration et de faire naître un calme intérieur et une joie sereine. Vous viendrez à bout de l'affliction, apprécierez le repos total et apaiserez votre esprit. Vous serez rafraîchi, vous développerez une perception des choses plus étendue et plus claire, une vue approfondie et vous renforcerez l'amour qui est en vous, ce qui vous permettra d'avoir une réponse plus bénéfique à ce qui vous entoure.

S'asseoir en méditation, c'est nourrir à la fois son corps et son esprit. Grâce à l'assise, votre corps deviendra harmonieux, se sentira plus léger et plus paisible. Le chemin qui mène de l'observation de votre esprit à la vision directe de votre propre nature ne sera pas trop dur. Lorsque vous serez en mesure de calmer votre esprit, lorsque vos pensées et vos sensations ne vous dérangeront plus, alors l'esprit commencera à demeurer dans l'esprit. Votre esprit saisira l'esprit d'une manière directe et merveilleuse, sans plus faire de distinction entre sujet et objet. Quand vous boirez une tasse de thé, la distinction apparente entre celui qui boit et le thé qui est bu s'évaporera. Boire une tasse de thé deviendra une expérience directe et merveilleuse au sein de laquelle n'existera plus la séparation sujet-objet.

L'esprit dispersé, agité, est aussi l'esprit, tout comme des vaguelettes à la surface de l'eau sont également de l'eau. Quand l'esprit saisit l'esprit, l'esprit d'illusion devient l'esprit de vérité. L'esprit de vérité est notre nature véritable, c'est le Bouddha en nous : la pure unité qui ne peut être rompue par les divisions illusoires des existences séparées que le langage et les concepts créent. Mais je ne veux pas trop en dire sur ce sujet.

V

Un est tout, tout est un, les cinq agrégats

Permettez-moi de consacrer quelques lignes aux méthodes que vous pouvez utiliser afin de parvenir à vous libérer des vues étroites, d'atteindre la non-peur et la grande compassion. Ces méthodes sont les contemplations de l'interdépendance, de l'impermanence et de la compassion.

L'interdépendance

Assis en méditation, lorsque vous contrôlez votre esprit, vous pouvez amener votre concentration à contempler la nature interdépendante de certains objets. Cette méditation n'est toutefois pas une réflexion discursive sur une philosophie de l'interdépendance. C'est une pénétration de l'esprit dans l'esprit lui-même, en utilisant son propre pouvoir de concentration pour révéler la nature réelle de l'objet que l'on contemple.

Souvenez-vous de cette vérité simple et ancienne : le sujet de la connaissance ne peut exister indépendamment de l'objet de la connaissance. Voir, c'est voir quelque chose. Entendre, c'est entendre quelque chose. Être en colère, c'est être en colère à propos de quelque chose. Espérer, c'est espérer quelque chose. Penser, c'est penser quelque chose.

Quand l'objet de la connaissance (ce quelque chose) n'est pas présent, il ne peut y avoir un sujet de connaissance. Le pratiquant médite sur l'esprit et, ce faisant, est en mesure de voir l'interdépendance du sujet de la connaissance et de l'objet de la connaissance.

Lorsque nous pratiquons la Pleine Conscience de la respiration, la respiration est l'objet de notre esprit, elle fait partie de notre esprit. Lorsque nous pratiquons la Pleine Conscience du corps, le corps est l'objet de notre esprit, il fait partie de notre esprit. Lorsque nous pratiquons la Pleine Conscience des objets extérieurs à nous-mêmes, ces objets sont l'objet de notre esprit, ils sont également notre esprit. Par conséquent, la contemplation de la nature d'interdépendance de tout objet est aussi contemplation de l'esprit.

Chaque objet de l'esprit est lui-même esprit. Dans le bouddhisme, nous appelons « dharmas » les objets de l'esprit. Les dharmas sont généralement classés en cinq catégories :

1. formes corporelles et physiques
2. sensations
3. perceptions
4. formations mentales
5. conscience

Ces cinq catégories sont appelées les cinq agrégats. La cinquième, la conscience, contient cependant les quatre autres catégories et est la base de leur existence.

La contemplation de l'interdépendance est une vision profonde au cœur de tous les dharmas afin de percer jusqu'à leur véritable nature et de les voir en tant que parties du grand corps de la réalité, et afin de percevoir que ce grand corps de la réalité est indivisible. Il ne peut être découpé en morceaux ayant des existences séparées qui leur soient propres.

Le premier objet de contemplation est notre propre personne, ces cinq agrégats rassemblés en nous. Vous contemplez ces cinq agrégats qui, ici et maintenant, vous composent.

Vous êtes conscient de la présence de la forme physique, des sensations, des perceptions, des formations mentales et de la conscience. Vous observez ces objets jusqu'à ce que vous voyiez que chacun d'entre eux a un rapport étroit avec le monde à l'extérieur de vous-même : si le monde n'existait pas, cet ensemble d'agrégats n'existerait pas non plus.

Considérons l'exemple d'une table. L'existence d'une table n'est possible qu'à cause de l'existence d'éléments que l'on pourrait appeler « le monde non-table » : la forêt où le bois a poussé et a été coupé, le menuisier, le minerai de fer qui est devenu vis et clous, et les innombrables autres choses qui ont un rapport avec la table, les parents et les ancêtres du menuisier, le soleil et la pluie qui ont permis aux arbres de pousser...

Si vous saisissez la réalité de la table, vous voyez alors que sont présents dans cette table même tous ces éléments que nous considérons normalement comme monde non-table. Si vous retiriez n'importe lequel de ces éléments non-table et le retourniez à sa source – le clou au minerai de fer, le bois à la forêt, le menuisier à ses parents – la table n'existerait plus.

Une personne qui regarde une table et qui y voit l'univers est une personne qui embrasse la voie. De la même manière, méditez sur l'ensemble des cinq agrégats présents en vous. Méditez sur ceux-ci jusqu'à ce que vous soyez en mesure de percevoir la réalité de l'unité en votre propre être, et de voir que votre propre vie et la vie de l'univers sont une. Si les cinq agrégats retournent à leurs sources, votre moi n'existe plus. À chaque seconde, le monde nourrit les cinq agrégats. Le moi n'est pas différent de l'ensemble des cinq agrégats. De même, cet ensemble des cinq agrégats joue un rôle crucial dans la formation, la création, et la destruction de toutes choses dans l'univers.

Se libérer de la souffrance

Habituellement, nous découpons la réalité en compartiments, ce qui nous empêche de percevoir l'interdépendance de tous les phénomènes. Voir l'un dans le tout et le tout dans l'un, c'est voir au-delà de la grande barrière qui rend notre perception de la réalité tellement étroite, cet obstacle que le bouddhisme appelle « attachement à une vue erronée du soi ».

Être attaché à une vue erronée du soi signifie croire à la présence d'entités immuables et qui existent par elles-mêmes. Passer au travers de cette vue erronée, c'est être libéré de toute sorte de crainte, de douleur et d'anxiété. La Bodhisattva Quan The Am (Avalokiteshvara) fut une grande source d'inspiration pour ceux qui œuvraient pour la paix au Vietnam ; lorsqu'elle découvrit la réalité des cinq agrégats, vides de toute existence séparée, elle fut libérée de toute souffrance, douleur, doute et colère.

Cela s'applique à chacun d'entre nous. Si nous contemplons les cinq agrégats avec diligence et détermination, nous aussi nous nous libérerons de nos souffrances, de nos peurs et de nos craintes.

Nous devons démanteler toutes les barrières afin de vivre en tant que partie de la vie universelle. Une personne n'est pas une entité à part, voyageant à travers le temps et l'espace, enfermée dans sa coquille, séparée des autres pendant cent ans ou durant des milliers d'existences. Ce n'est pas la vie et c'est tout à fait impossible. Une multitude de phénomènes sont présents dans notre vie et nous sommes nous-mêmes présents au sein d'une foule de phénomènes variés. Nous sommes la vie, et la vie est infinie.

Peut-être que certains pourraient penser que nous ne sommes vraiment vivants qu'en faisant l'expérience de la vie du monde et vivre ainsi la joie et la souffrance des autres. La souffrance des autres est notre propre souffrance, le bonheur des autres est notre propre bonheur. Si notre vie est sans limites, l'ensemble des cinq agrégats qui constituent notre moi est également sans limites, la naissance et la mort de ce moi, les succès et les échecs de ce moi ne peuvent plus nous ébranler. Une fois que nous avons vu et pénétré profondément la réalité de l'interdépendance, nous pouvons parcourir des milliers de chemins remplis de danger, de violence, de haine et d'injustice, rien ne peut plus nous faire de mal. Nous sommes libérés.

Assis en position du lotus, observons notre respiration et méditons sur ceux qui ont donné leur vie pour les autres. La méditation sur l'interdépendance doit se pratiquer en permanence et non se limiter à la position assise, elle doit être intégrée à toutes les tâches de la vie quotidienne. Nous devons apprendre à voir que la personne en face de nous est nous-mêmes et que nous sommes cette personne. Nous devons être capables de voir le processus d'inter-origine et d'interdépendance entre tous les événements, ceux qui sont en train de se passer et ceux à venir.

Chevaucher les vagues de la naissance et de la mort

Je ne peux laisser de côté la question de la vie et de la mort. Ayant conscience du fait que la question importante est celle de la vie et de la mort, bien des jeunes et des moins jeunes se proposent de travailler pour la paix mais souvent sans se rendre compte que vie et mort sont les deux faces d'une seule et même réalité. Une fois que nous le comprenons, nous avons le courage de les rencontrer toutes les deux.

Je n'avais que dix-neuf ans quand je fus contraint par un vieux moine de méditer sur l'image d'un cadavre dans un cimetière. Je trouvais cela très dur à supporter et j'avais beaucoup de réticence pour cette méditation. À l'époque je pensais qu'une telle pratique aurait dû être réservée aux moines âgés, je vois à présent les choses différemment. J'ai vu depuis de nombreux soldats gisant sans vie, alignés les uns à côté des autres, certains âgés de treize, quatorze ou quinze ans. Ils n'étaient pas prêts, ils n'avaient pas été préparés à mourir. Maintenant je sais que si quelqu'un ne sait pas comment mourir, il peut difficilement savoir comment vivre – car la mort fait partie de la vie.

Mobi vient juste d'avoir vingt ans. Il y a deux jours, elle m'a dit qu'elle pensait qu'à vingt ans on était assez mûr pour méditer sur un cadavre. Regardons la mort en face, reconnaissons-la, acceptons-la, tout comme nous regardons et acceptons la vie.

Le Soutra de l'Établissement de la Conscience nous parle de la méditation sur un cadavre : méditez sur la décomposition du corps, sur la façon dont le corps gonfle et bleuit, dont il est dévoré par les vers jusqu'à ce qu'il ne reste que quelques lambeaux de chair sanguinolente encore accrochés aux os ; méditez sur l'instant où il ne reste plus qu'un tas d'os blanchis et que finalement ces os se transforment en poussière.

Méditez de cette façon tout en sachant que votre propre corps subira le même processus. Méditez sur l'image d'un cadavre jusqu'à ce que vous soyez calme et en paix, que votre cœur et votre esprit soient légers et tranquilles et qu'un sourire apparaisse sur votre visage. Ainsi, en surmontant la crainte et la répulsion, la vie est perçue comme infiniment précieuse, chaque seconde valant la peine d'être vécue. Et ce n'est pas seulement notre vie qui est reconnue précieuse, mais la vie de chaque personne, la vie de chaque être, de chaque réalité. Nous ne pouvons plus être trompés par la conception selon laquelle la destruction de la vie des autres est nécessaire à notre propre survie. Nous voyons que vie et mort sont les deux faces de la Vie sans lesquelles la Vie serait impossible, comme les deux côtés d'une pièce sont indispensables pour que la pièce existe.

À ce moment seulement, il est possible de s'élever au-dessus de la vie et de la mort, et de savoir comment vivre et comment mourir. Le Soutra dit que les Bodhisattvas qui ont perçu la réalité de l'interdépendance ont traversé toutes les vues étroites et ont été capables de pénétrer la vie et la mort comme une personne navigue dans un petit bateau sans être submergée ou noyée par les vagues de naissance et de mort.

Certains disent que si l'on regarde la réalité avec les yeux d'un bouddhiste, on devient pessimiste. Mais penser en termes de pessimisme et d'optimisme est par trop simplifier la vérité. Le problème est de voir la réalité telle qu'elle est. Une attitude pessimiste ne peut jamais amener un sourire calme et serein, tel celui qui s'épanouit sur le visage des Bodhisattvas et de tous ceux qui ont réalisé la Voie.

VI

La nature de l'ultime perfection

Je vous ai parlé de la contemplation sur l'inter-dépendance. Bien entendu, toutes les méthodes de recherche de la vérité doivent être considérées comme des moyens et non des fins en elles-mêmes ou comme l'absolue vérité. La méditation sur l'interdépendance vise à supprimer les fausses bar-rières de la discrimination pour que l'on puisse pénétrer l'harmonie universelle de la vie. Elle ne vise pas à produire un système philosophique, une philosophie de l'interdépendance.

Herman Hesse, dans *Siddhartha*, n'avait pas encore perçu cela ; c'est pourquoi son roman expose une philosophie de l'interdépendance qui nous surprend par sa naïveté. L'auteur nous offre une image dans laquelle tout est intimement relié, un processus où aucun défaut ne peut être trouvé : tout doit s'emboîter dans un système indéréglable de dépendances mutuelles et dans lequel il est impossible de considérer la question de la libéra-tion dans ce monde.

Selon les enseignements de notre tradition, la réalité a trois natures : la construction mentale, l'interdépendance et la nature de l'ultime perfection.

La négligence, l'observation superficielle et les préjugés nous masquent généralement la réalité derrière un voile d'opinions et de vues erronées. C'est ce que nous appelons voir la réalité au travers de notre construction mentale.

La construction mentale est une illusion de réalité qui conçoit la réalité comme un ensemble de petites entités et de « moi » séparés. Pour percer ce voile, le pratiquant médite sur l'interdépendance ou sur l'interrelation des phénomènes dans les processus de création et de destruction. Ces considérations sont une voie de contemplation et d'expérimentation du pratiquant de la réalité en soi-même, non la base d'une doctrine philosophique. En s'attachant simplement à un système de concepts, on ne peut que se retrouver bloqué. Cette méditation sur l'interdépendance nous aide à pénétrer la réalité pour ne faire qu'un avec elle, et non à nous empêtrer dans une opinion philosophique ou une méthode de méditation. Le radeau nous sert à traverser la rivière, mais une fois de l'autre côté, il ne faut pas le porter sur le dos. Le doigt qui montre la lune n'est pas la lune.

Finalement, le pratiquant parvient à la nature de l'ultime perfection – une réalité libre de toute vue erronée produite par les constructions mentales. La réalité est la réalité. Elle transcende tous les concepts. Aucun concept ne peut la décrire de manière adéquate, pas même celui de l'interdépendance. Pour s'assurer que l'on ne puisse pas s'attacher à un concept philosophique, notre enseignement parle des trois « non-natures ». Cela empêche l'individu d'être prisonnier de la doctrine des trois natures. L'essence de l'enseignement du bouddhisme Mahayana repose sur ce point.

Lorsque la réalité est perçue dans sa nature de perfection ultime, le pratiquant a atteint un niveau de sagesse appelé « esprit de non-discrimination » : une communion merveilleuse dans laquelle il n'est plus fait de distinction entre sujet et objet. Cela n'est pas un état lointain et inaccessible. Chacun d'entre nous, en persistant à pratiquer, ne serait-ce qu'un peu, a la possibilité au moins d'y goûter.

Sur mon bureau, j'ai un tas de demandes de parrainage d'orphelins[1]. J'en traduis quelques-unes chaque jour. Avant de commencer, je regarde dans les yeux de l'enfant qui est sur la photographie. J'observe de très près son visage et son expression. Je ressens un lien profond avec chacun d'entre eux et cela me permet d'entrer en communion particulière avec eux. Alors que j'écris ces mots, je m'aperçois que pendant tous ces moments, toutes ces heures passées à traduire les quelques lignes d'un formulaire, la communion que j'ai ressentie a été une sorte d'esprit de non-discrimination. Il n'y a plus ce « je » qui traduit les demandes pour aider chaque enfant et je ne vois plus l'enfant qui reçoit assistance et amour. L'enfant et moi som-

1. La Délégation pour la paix de l'Église bouddhique unifiée du Vietnam, dont l'auteur est le dirigeant, a soutenu de 1970 à ce jour plusieurs programmes d'aide aux enfants qui ont faim. Adresse : Village des Pruniers, Lieu dit Meyrac, Loubès-Bernac, 47120, Duras. Fax : 53 94 75 90.
Dans cette communauté, on peut apprendre à pratiquer la Pleine Conscience avec Thich Nhat Hanh. Un séjour d'une semaine est conseillé pour aquérir l'entraînement suffisant et continuer chez soi. (Accès SNCF Sainte-Foy-la-Grande.)

mes un : personne ne demande d'aide, personne ne reçoit d'aide, personne n'éprouve de la pitié. Il n'y a ni devoir, ni œuvre sociale à accomplir, ni compassion, ni sagesse particulière. Ce sont là des instants d'esprit de non-discrimination.

L'amandier devant la maison

Un amandier par exemple, lorsque la réalité est expérimentée dans sa nature de perfection ultime, révèle sa nature dans sa globalité parfaite. L'amandier qui se trouve peut-être devant votre maison est lui-même vérité, réalité, votre propre être. De tous ceux qui sont passés devant votre maison, combien ont réellement vu cet amandier ? Le cœur d'un artiste est peut-être plus sensible ; heureusement, il ou elle sera capable de voir l'arbre d'une façon plus profonde que la plupart des gens. Grâce à un cœur plus ouvert, une certaine communion existe déjà entre l'artiste et l'arbre. Ce qui est important, c'est votre propre cœur : si celui-ci n'est pas voilé par de fausses perceptions, vous serez en mesure d'entrer naturellement en communion avec l'arbre. L'amandier se révélera à vous dans son intégralité.

Voir l'amandier, c'est voir la Voie. Un Maître zen à qui on avait demandé d'expliquer les merveilles de la réalité, montra du doigt un cyprès et dit : « Regardez ce cyprès. »

La voix de la marée montante

Un Soutra parle ainsi de la voix du Bodhisattva de la Compassion :

La voix merveilleuse, la voix de celui
        qui est à l'écoute de la détresse du monde.
La noble voix, la voix de la marée montante
            dominant tous les bruits du monde.
Laissons notre esprit s'accorder à cette voix.

Mettons de côté tous les doutes et méditons
            sur la nature pure et sacrée de celui
        qui est à l'écoute de la détresse du monde.
Car c'est la porte qui nous libère en cas de
        souffrance, désespoir, malheur et mort.

Réalisant d'innombrables bienfaits,
        il regarde tous les êtres avec des yeux
            de compassion et de compréhension
Créant un océan illimité de bénédictions.
Devant lui, nous nous inclinons.

Lorsque votre esprit est libéré, votre cœur est submergé de compassion : compassion pour vous-même, pour les souffrances innombrables que vous avez éprouvées, faute d'avoir su vous délester des idées fausses, de la colère, de l'ignorance et de la haine ; compassion pour les autres qui ne voient pas encore et restent ainsi prisonniers de leurs fausses perceptions, de leur haine et de leur ignorance, continuant à créer de la souffrance pour les autres et pour eux-mêmes. Vous pouvez désormais regarder les autres et vous-même avec les yeux de la compassion, tel un sage qui entend la plainte des créatures de l'univers et dont la voix est la voix de tous ceux qui ont vu la réalité de la parfaite unité.

Regarder tous les êtres avec les yeux de la compassion, c'est la « méditation sur la compassion ».

La méditation sur la compassion doit être pratiquée pendant que l'on est assis et pendant que nous sommes au service des autres. Peu importe où nous sommes, peu importe où nous allons, souvenons-nous de cet appel sacré : « Regarder tous les êtres avec les yeux de la compassion. »

Il existe de nombreux sujets et de nombreuses méthodes de méditation, et il y en a tant que je ne pourrais jamais espérer les noter tous. Je ne vous ai mentionné ici que quelques méthodes fondamentales très simples.

Toute personne qui travaille pour les autres ou pour la paix est une personne comme une autre ; elle doit vivre sa propre vie et son travail n'en est qu'une partie. Mais le travail n'est vie que lorsqu'il est accompli dans la Pleine Conscience, ou sinon, on devient une personne qui vit « comme un mort ».

Il nous faut allumer notre propre torche afin d'avancer, mais chacune de nos vies est reliée à la vie de tous ceux qui nous entourent. Si nous savons comment vivre dans la Pleine Conscience, si nous savons préserver et prendre soin de notre esprit et de notre cœur, alors nos frères et nos sœurs sauront aussi vivre en Pleine Conscience.

La rencontre sereine avec la réalité

Assis en Pleine Conscience, le corps et l'esprit peuvent être en paix et complètement détendus, mais cet état paisible et relaxé est fondamentalement différent de la somnolence semi-consciente et paresseuse que l'on connaît en faisant la sieste. Loin d'être de la Pleine Conscience, l'assise dans cet état de demi-sommeil paresseux est comme une assise dans une caverne obscure. Dans la pleine présence d'esprit, on est non seulement reposé et heureux, mais aussi alerte et éveillé.

La méditation n'est pas une évasion : c'est une rencontre sereine avec la réalité. Celui qui pratique la Pleine Conscience ne doit pas être moins attentif qu'un conducteur au volant ; si le pratiquant n'est pas vigilant, il sera vite distrait, négligent, tout comme un conducteur somnolent sera susceptible de causer un accident. Soyez aussi attentif qu'une personne marchant avec des échasses – tout faux pas est risque de chute. Soyez tel un chevalier médiéval passant désarmé à travers une forêt d'épées. Soyez comme un lion avançant à pas lents, calme et résolu. C'est avec cette vigilance que vous pourrez pleinement vous éveiller.

Aux débutants, je recommande la méthode de la reconnaissance pure : reconnaître sans juger. Les sensations, les sentiments, que ce soit de compassion ou de colère, doivent être accueillis, reconnus et traités d'une façon absolument égale ; car tous deux sont nous-mêmes. Je suis la mandarine que je mange, je suis la graine de moutarde que je plante. Je la plante de tout mon cœur et mon esprit. Je nettoie cette théière avec autant d'attention que si je faisais prendre un bain à Jésus ou à Bouddha enfants. Tout est à traiter avec le même soin. Dans la Pleine Conscience, la compassion, la colère, la graine de moutarde, la théière, tout est sacré.

La méthode de l'observation pure et de la reconnaissance peut sembler difficile à pratiquer lorsque nous sommes en proie à la tristesse, à l'anxiété, à la colère, à la passion... Dans ce cas, orientez votre méditation précisément, en utilisant votre propre état d'esprit comme le sujet de votre méditation. Une telle méditation est révélatrice et curative. Sous le regard de la concentration et de la méditation, la tristesse, l'anxiété, la colère ou la passion se découvrent dans leur véritable nature – une révélation amenant naturellement à la guérison et à la libération.

La tristesse (ou ce qui provoque la douleur quelle qu'elle soit) peut être utilisée comme un moyen pour se libérer du tourment et de la souffrance. C'est comme utiliser une épine afin d'ôter une épine. Nous devrions traiter notre anxiété, notre douleur, notre haine et notre passion avec douceur et respect, ne pas leur résister, mais vivre en leur compagnie, faire la paix avec elles et pénétrer leur nature par la méditation sur l'interdépendance.

On apprend rapidement à choisir des sujets de méditation appropriés à la situation. Des sujets de méditation tels que l'interdépendance, la compassion, le soi, la vacuité, le non-attachement, appartiennent tous à des catégories de méditation qui ont un pouvoir révélateur et de guérison. Cependant, la méditation sur ces sujets n'a de chances de réussir que si nous avons développé une certaine force de concentration, fruit de la pratique de la Pleine Conscience dans la vie quotidienne, de l'observation et de la reconnaissance de tout ce qui se produit. Mais les objets de méditation doivent être des réalités enracinées en nous-mêmes et non un simple sujet de spéculation philosophique.

Chacun de nos objets de méditation est semblable à un plat que l'on doit cuire longtemps à feu vif. Il faut le mettre dans une marmite, le couvrir et allumer le feu. La marmite, c'est nous-mêmes ;

la chaleur nécessaire à la cuisson, c'est le pouvoir de concentration, et le combustible provient de la pratique continue de la Pleine Conscience. Si la chaleur n'est pas suffisante, la nourriture ne cuira pas mais, une fois cuit, le plat est succulent. Quand le pratiquant arrive à toucher la véritable nature de l'objet de sa méditation – sa colère, ses craintes ou la personne détestée – il est libéré.

L'eau plus claire, l'herbe plus verte

Le Bouddha a dit un jour que la question de la vie et de la mort était en fait la question de la Pleine Conscience. Que nous soyons vivants ou non dépend en fait de notre degré d'attention.

Dans un Soutra du Samyutta Nikaya, le Bouddha raconte cette histoire qui se passe dans un petit village :

« Un criminel avait été condamné à traverser les rues d'un village avec un bol rempli d'huile à ras bord, le jour même où une foule se pressait pour voir l'arrivée d'une célèbre danseuse. Il devait se concentrer de toutes ses forces car le soldat qui l'escortait avait reçu l'ordre de dégainer son épée et de lui couper la tête à la moindre goutte renversée. » Arrivé à ce point de l'histoire, Bouddha Gautama demanda : « Maintenant, pensez-vous que le prisonnier fut capable de garder toute son attention concentrée sur le bol à un point tel que son esprit ne s'échappa pas pour glisser un regard vers la célèbre danseuse ou regarder la cohue des gens dans la rue menaçant de le bousculer à tout moment ? »

Une autre fois, une histoire que raconte encore le Bouddha m'a fait clairement comprendre l'importance primordiale de la Pleine Conscience de son propre être, c'est-à-dire de se protéger et de s'occuper de soi-même, sans se soucier de la manière dont les autres s'occupent d'eux, une habitude de l'esprit qui n'apporte qu'irritation et ressentiment. Le Bouddha dit :

« Il y avait une fois un couple d'acrobates. L'homme était un pauvre veuf et son élève était une petite fille prénommée Méda. Ils faisaient leur numéro dans les rues pour gagner juste de quoi manger. Ils utilisaient un long bambou que l'homme plaçait en équilibre sur sa tête et que la petite fille escaladait lentement jusqu'à son sommet. Elle restait ainsi perchée pendant que lui continuait à marcher. Les deux acrobates devaient garder toute leur attention pour maintenir le parfait équilibre et empêcher tout accident. Un jour, le Maître dit à son élève : "Écoute, Méda, à l'avenir, regardons-nous l'un l'autre pour nous aider mutuellement à maintenir notre concentration et notre équilibre, et éviter un accident. Cela nous assurera de toujours gagner suffisamment d'argent pour vivre." Mais la petite fille, qui avait beaucoup de sagesse, répondit : "Cher Maître, je pense qu'il serait mieux que chacun de nous veille sur lui-même. Prendre soin de soi signifie prendre soin des deux. Je suis sûre qu'ainsi nous éviterons un accident et pourrons continuer à gagner notre vie." » Le Bouddha dit : « L'enfant a parlé juste. »

Si, au sein d'une famille, quelqu'un pratique la Pleine Conscience, la famille tout entière sera plus consciente. La présence d'une personne vivant en

Pleine Conscience est une incitation pour les autres à vivre de la même manière. Dans une classe, un élève pleinement conscient influence toute la classe.

Dans les communautés qui travaillent pour la paix, le même principe doit être suivi. Ne vous inquiétez pas si ceux qui vous entourent ne font pas le maximum. Souciez-vous uniquement de faire de votre mieux : c'est le meilleur moyen de rappeler aux autres de faire de même. Mais il est certain que cela demande une pratique continue de la Pleine Conscience. Ce n'est qu'en pratiquant la Pleine Conscience que l'on ne se perd pas et que l'on obtient une joie éclatante et la paix. Ce n'est qu'en pratiquant la Pleine Conscience que l'on est capable de regarder les autres avec un esprit ouvert et des yeux d'amour.

Un jour, j'ai été invité à prendre le thé chez Kirsten, une amie hollandaise qui nous aide en traduisant des documents pour les orphelins. Alors qu'elle versait le thé, j'ai regardé sa pile de dossiers et lui ai demandé si elle pouvait prendre un moment pour me jouer un morceau de piano. Kirsten s'est assise de bonne grâce au piano et a commencé à jouer un morceau de Chopin qu'elle connaissait depuis son enfance. Le morceau était composé de passages doux et mélodieux, mais aussi de moments rapides et forts. Son chien, qui était couché sous la table, s'est mis à aboyer et à hurler dès que la musique a commencé à s'accélérer. J'ai remarqué sa nervosité, il semblait ne pas apprécier la musique. Le chien de Kirsten est traité avec toute la gentillesse que l'on donne à un enfant et il est peut-être plus sensible à la musique que la plupart des enfants. Il se peut aussi qu'il se soit comporté ainsi car son ouïe capte des vibrations inaudibles à l'oreille humaine. Kirsten a continué à jouer tout en essayant d'apaiser son chien, mais sans résultat. Elle s'est arrêtée et s'est mise à jouer un morceau de Mozart léger et harmonieux. Le chien s'est recouché, le calme apparemment retrouvé. Lorsque Kirsten eut terminé, elle est venue s'asseoir à mes côtés et m'a dit : « Souvent, quand je joue un morceau de Chopin un tant soit peu trop fort, le chien vient m'attraper la jambe du pantalon pour me forcer à quitter le piano. Je dois quelquefois le faire sortir si je veux continuer à jouer. Chaque fois que je joue Bach ou Mozart, il est paisible. »

Selon Kirsten, un rapport fait état qu'au Canada des gens font entendre Mozart à leurs plantes, la nuit. Elles poussent plus vite que la normale et les fleurs se tournent dans la direction de la musique. D'autres encore ont fait cette expérience dans leurs champs de blé et de seigle et, là aussi, les céréales croissent plus vite que dans leurs autres champs.

En entendant Kirsten, j'ai songé aux salles de conférences où des gens débattent et se disputent, où des paroles de colère et de reproche sont lancées avec violence. Si on y plaçait des fleurs et des plantes elles s'arrêteraient probablement de croître.

Nous devrions écouter de la musique ou nous asseoir et respirer consciemment au début de toute réunion ou discussion.

J'ai songé au jardin d'un moine vivant dans la Pleine Conscience. Ses plantes sont toujours fraîches et vertes, nourries par la joie et la paix jaillis-

sant de son attention. Un vieux proverbe dit :
« Lorsque naît un grand Sage, l'eau de la rivière
devient plus claire et les plantes deviennent plus
vertes. »

VII

Trois réponses merveilleuses

Pour finir, j'aimerais vous raconter une courte histoire de Tolstoï, l'histoire des trois questions de l'empereur.

« Un jour, il apparut à un empereur que si seulement il connaissait la réponse aux trois questions suivantes, rien ne le ferait jamais s'écarter du droit chemin :

Quel est le meilleur moment pour chaque chose ?
Quelles sont les plus importantes personnes
   avec lesquelles travailler ?
Quelle est la plus importante chose à faire
   à tout moment ?

« L'empereur promulgua un décret dans tout son empire annonçant que quiconque pourrait répondre aux trois questions recevrait une grosse récompense. Après avoir lu ce décret, beaucoup se dirigèrent vers le palais en apportant leurs multiples réponses.

« En réponse à la première question, quelqu'un suggéra à l'empereur d'établir un emploi du temps complet, avec les heures, jours, mois et années, et les tâches à accomplir. En le suivant à la lettre, l'empereur pourrait alors espérer parvenir à faire chaque chose au bon moment.

« Un autre rétorqua qu'il était impossible de tout prévoir, que l'empereur devait mettre de côté toutes les distractions inutiles et qu'il devait rester attentif à toutes choses afin de savoir quand et comment agir.

« Un autre encore insista sur le fait que l'empereur seul ne pouvait espérer posséder la clairvoyance et la compétence nécessaires pour décider quand faire chaque chose. Il lui semblait primordial de nommer un Conseil des Sages et d'agir selon leurs recommandations.

« Un autre encore dit que certaines questions nécessitaient une décision immédiate et ne pouvaient attendre une consultation. Cependant, si le souverain désirait connaître à l'avance ce qui allait se produire, il lui était possible d'interroger les devins et les magiciens.

« Les réponses à la seconde question divergeaient aussi beaucoup.

« Quelqu'un dit que l'empereur devait placer toute sa confiance en ses ministres, un autre recommanda les prêtres et les moines tandis que d'autres encore suggéraient les médecins ou même les militaires.

« À la troisième question, à nouveau des réponses très variées furent proposées. Certains affirmèrent que la science était la plus importante des recherches, d'autres insistèrent sur la religion et d'autres encore sur l'art militaire.

« L'empereur ne fut satisfait par aucune des réponses données, et la récompense ne fut pas attribuée.

« Après plusieurs nuits de réflexion, le souverain décida de rendre visite à un ermite vivant dans la montagne qui était tenu pour un être illuminé. Tout en sachant que l'ermite ne quittait jamais les montagnes et qu'il était connu pour ne recevoir que les gens pauvres et refuser tout contact avec les riches et les puissants, l'empereur souhaitait rencontrer le saint homme pour lui soumettre les trois questions. C'est ainsi que le souverain se déguisa en pauvre paysan et demanda à son escorte de l'attendre au pied de la montagne pendant qu'il partait seul à la recherche de l'ermite.

« En atteignant la demeure du saint homme, l'empereur l'aperçut en train de bêcher le jardin devant sa hutte. À la vue de l'étranger, l'ermite salua de la tête et continua à bêcher. C'était un labeur apparemment très pénible pour lui car il était vieux ; il haletait bruyamment chaque fois qu'il enfonçait la bêche dans le sol pour retourner la terre.

« L'empereur s'approcha de lui et dit : "J'ai trois questions auxquelles j'aimerais que vous m'aidiez à répondre : Quel est le meilleur moment pour chaque chose ? Quelles sont les plus importantes personnes avec lesquelles travailler ? Quelle est la plus importante chose à faire à tout moment ?"

« L'ermite écouta attentivement, puis il tapota sur l'épaule de l'empereur et se remit à bêcher. Le monarque dit alors : "Vous devez être fatigué. Laissez-moi vous aider." Le vieil homme le remercia, lui tendit la bêche et s'assit par terre pour se reposer.

« Après avoir bêché deux plates-bandes, l'empereur s'arrêta, se tourna vers l'ermite et lui répéta ses trois questions. De nouveau, le vieil homme ne lui répondit pas, mais se leva, montra la bêche et dit : "Pourquoi ne vous reposez-vous pas un peu ? Je vais reprendre." Mais l'empereur continua à retourner la terre. Une heure passa, puis deux. Finalement le soleil se cacha derrière la montagne. Le souverain posa la bêche et dit à l'ermite : "Écoutez, je suis venu ici vous demander si vous pouviez répondre à mes trois questions. Mais si vous n'êtes pas en mesure de le faire, dites-le-moi afin que je puisse rentrer chez moi."

« L'ermite leva la tête et demanda à l'empereur : "N'entendez-vous pas quelqu'un qui court dans notre direction ?" L'empereur tourna la tête et vit un homme avec une longue barbe blanche surgir des bois. Il courait de manière désordonnée, les deux mains pressant une blessure sanglante qu'il avait au ventre. L'homme courut vers le souverain avant de s'écrouler sans connaissance sur le sol. Il gémissait. En ouvrant sa chemise, l'empereur et l'ermite découvrirent une profonde plaie. Le monarque nettoya complètement la blessure, puis il utilisa sa propre chemise pour le panser. Comme le sang coulait abondamment, il dut rincer la chemise et bander plusieurs fois, et ce, jusqu'à ce que la plaie s'arrête de saigner.

« Finalement, l'homme blessé reprit connaissance et demanda un peu d'eau. L'empereur courut jusqu'au ruisseau et rapporta une jarre d'eau fraîche. Pendant ce temps, le soleil avait disparu et le froid de la nuit était en train de s'installer. L'ermite aida l'empereur à porter l'homme dans la hutte où ils l'allongèrent sur le lit. Là, il ferma les yeux et s'assoupit paisiblement. Le souverain était épuisé par sa longue journée passée à marcher dans la montagne et à bêcher le jardin. Appuyé contre la porte, il s'endormit. Quand il se réveilla, le soleil était déjà haut au-dessus des montagnes. Pendant un moment, il oublia où il était et ce qu'il était venu faire. Il regarda vers le lit et vit l'homme blessé qui se demandait lui aussi ce qu'il faisait dans cette hutte. Lorsque celui-ci aperçut l'empereur, il le fixa attentivement du regard et dit dans un murmure à peine perceptible : "S'il vous plaît, pardonnez-moi."

« "Mais qu'avez-vous donc fait qui mérite d'être pardonné ?", demanda le souverain.

« "Vous ne me connaissez pas, Votre Majesté, mais moi je vous connais. J'étais votre ennemi juré et j'avais fait le vœu de me venger car lors de la dernière guerre, vous avez tué mon frère et saisi tous mes biens. Quand j'ai appris que vous veniez seul sur cette montagne pour rencontrer l'ermite, j'ai décidé de monter un guet-apens et de vous tuer. J'ai attendu longtemps, mais ne vous voyant pas venir, j'ai quitté ma cachette pour tenter de vous trouver. C'est ainsi que je suis tombé sur les gardes de votre escorte qui m'ont reconnu et m'ont infligé cette blessure. Heureusement, j'ai réussi à prendre la fuite et à courir jusqu'ici. Si je ne vous avais pas rencontré, je serais certainement mort à l'heure qu'il est. J'avais l'intention de vous tuer et au lieu de cela, vous m'avez sauvé la vie ! J'éprouve une grande honte, mais aussi une reconnaissance infinie. Si je reste en vie, je fais le vœu de vous servir jusqu'à mon dernier souffle et j'ordonnerai à mes enfants et petits-enfants de suivre mon exemple. Je vous en supplie, Majesté, accordez-moi votre pardon !"

« L'empereur était comblé de joie de voir avec quelle facilité il s'était réconcilié avec un ancien ennemi. Non seulement il lui pardonna, mais de plus il promit de lui faire restituer tous ses biens et fit envoyer son propre médecin et ses serviteurs pour s'occuper de lui jusqu'à sa guérison complète. Après avoir donné l'ordre à son escorte de ramener l'homme chez lui, il revint voir l'ermite. Le souverain désirait poser une dernière fois les trois questions au vieil homme avant de retourner à son palais. Il trouva l'ermite en train de semer des graines dans les plates-bandes bêchées la veille.

« Le vieil homme se leva et le regarda. "Mais vous avez déjà la réponse à ces questions."

« "Comment cela ?", dit l'empereur intrigué.

« "Hier, si vous n'aviez pas eu pitié de mon âge et ne m'aviez aidé à retourner la terre, vous auriez été attaqué par cet homme à votre retour. Vous auriez alors profondément regretté de ne pas être resté avec moi. Par conséquent, le moment le plus important était le temps passé à bêcher le jardin, la personne la plus importante était moi-même, et la chose la plus importante était de m'aider. Plus tard, lorsque l'homme blessé est arrivé, le moment le plus important était celui que vous avez passé à soigner la plaie, car si vous ne l'aviez pas fait, il serait mort et vous auriez raté l'occasion de vous réconcilier avec un ennemi. De la même façon, il était la personne la plus importante, et soigner la blessure était la tâche la plus importante. Rappelez-vous qu'il n'existe qu'un seul moment important, c'est maintenant. Cet instant présent est le seul moment sur lequel nous pouvons exercer notre maîtrise. La plus importante personne est toujours la personne avec qui vous êtes, celle qui est en face de vous, car qui sait si vous aurez affaire à quelqu'un d'autre dans le futur ? La tâche la plus importante est de rendre heureuse la personne qui est à vos côtés, car cela seul est la recherche de la vie." »

L'histoire de Tolstoï semble tirée des Écritures : à mes yeux, elle est aussi riche et profonde que n'importe quel texte sacré. Nous parlons d'œuvres sociales, de contribuer à aider l'humanité et à amener la paix dans le monde, mais nous oublions souvent que nous devons vivre avant tout pour les gens qui nous entourent. Si vous ne savez pas rendre service à votre mari, votre femme, votre enfant ou vos parents, comment allez-vous faire pour servir la société ? Si vous ne savez pas rendre heureux votre propre enfant, comment pouvez-vous prétendre rendre qui que ce soit heureux ? Si tous ceux qui sont engagés dans des œuvres humanitaires quelles qu'elles soient ne s'aiment pas et ne s'entraident pas, qui aimer et qui aider ? Travaillons-nous pour d'autres êtres humains ou simplement au nom d'une organisation ?

Servir

Servir la paix. Servir ceux qui sont dans le besoin. Le verbe servir est si vaste. Revenons d'abord à un échelon plus modeste : nos familles, nos camarades de classe, nos amis, notre propre communauté. Nous devons vivre pour eux, car si nous ne pouvons le faire, pour qui d'autre pensons-nous vivre alors ?

Tolstoï était un sage – ce que nous, bouddhistes, appelons un Bodhisattva. Mais est-ce que l'empereur était, lui, en mesure de voir la signification et la direction de la vie ? Comment pouvons-nous vivre l'instant présent, vivre ici et maintenant avec les personnes qui nous entourent, en contribuant à diminuer leur souffrance et à leur apporter du bonheur ? Comment ? En pratiquant la Pleine Conscience. Le principe que Tolstoï nous offre paraît simple. Mais si nous voulons le mettre en pratique, il faut utiliser des méthodes de Pleine Conscience afin de chercher et trouver la Voie.

J'ai écrit ces pages pour mes amis. Je n'ai fait qu'écrire ce que j'ai vécu et expérimenté ; j'espère que vous et les vôtres trouverez dans ces mots un peu d'aide et de soutien tout au long du sentier de notre recherche : le chemin du retour.

DEUXIÈME PARTIE

Exercices de Pleine Conscience

Voici une série d'exercices et d'approches de la méditation que j'ai souvent adaptés à ma situation propre et à mes préférences. Choisissez ceux que vous aimez le mieux et trouvez les plus appropriés pour vous-même. La valeur de chaque méthode varie selon les besoins uniques de chacun. Bien que ces exercices soient relativement aisés, ils n'en constituent pas moins les fondements sur lesquels tout le reste se construit.

Le demi-sourire

Le demi-sourire le matin au réveil

Accrochez une branche, un signe, ou même le mot « sourire » au mur ou au plafond, de façon à ce que vous le voyiez dès que vous ouvrez les yeux. Ce signe vous aidera à vous le rappeler. Utilisez les secondes précédant votre lever pour prendre contact avec votre respiration. Inspirez et expirez trois fois en douceur en amenant le demi-sourire. Suivez votre respiration.

Le demi-sourire quand on est inoccupé

Où que vous soyez, inoccupé (salle d'attente, autobus, file d'attente au supermarché, etc.), laissez fleurir le demi-sourire. Regardez un enfant, une feuille d'arbre, une peinture accrochée au mur, ou tout ce qui est relativement tranquille, et souriez. Inspirez et expirez doucement trois fois. Maintenez le demi-sourire et considérez l'objet de votre attention comme votre nature profonde.

Le demi-sourire en écoutant de la musique

Écoutez un morceau de musique pendant deux à trois minutes. Accordez toute votre attention aux paroles, à la musique, au rythme et aux sentiments. Souriez en observant inspirations et expirations.

Le demi-sourire quand on est irrité

Lorsque vous vous apercevez que vous êtes irrité, détendez les muscles de votre visage, laissez venir le demi-sourire. Inspirez et expirez calmement, en maintenant le sourire le temps de trois respirations.

Détente et relaxation

Lâcher prise en position allongée

Allongez-vous à plat dos, sans matelas ni oreiller. Laissez vos bras reposer de chaque côté du corps et vos jambes légèrement écartées. Maintenez le demi-sourire. Étirez-vous en tendant vos bras devant vous. Inspirez et expirez doucement en concentrant votre attention sur la respiration.

Laissez chacun de vos muscles s'abandonner. Détendez chaque muscle comme s'il s'enfonçait dans le sol ou comme s'il était aussi doux et souple qu'un foulard de soie flottant au gré du vent. Lâchez complètement prise en gardant votre attention centrée sur la respiration et votre demi-sourire. Pensez que vous êtes un chat, totalement détendu devant un feu de bois et dont les muscles n'offrent aucune résistance au toucher. Faites cela pendant quinze respirations.

Lâcher prise en position assise

Asseyez-vous au choix dans la position du lotus, du demi-lotus, les jambes croisées, les jambes repliées, ou encore sur une chaise, les deux pieds bien à plat sur le sol.

Laissez venir le demi-sourire. Observez inspirations et expirations tout en maintenant le demi-sourire. Lâchez prise.

La respiration

La respiration profonde

Allongez-vous sur le dos. Respirez de manière régulière et douce, concentrant votre attention sur le mouvement de votre abdomen.

Au début de l'inspiration, laissez votre ventre se soulever pour que l'air pénètre dans la partie inférieure des poumons. Lorsque la partie supérieure des poumons se remplit, la poitrine se gonfle et l'abdomen s'abaisse. Ne vous fatiguez pas. Continuez ainsi pendant dix respirations. L'expiration sera plus longue que l'inspiration.

Mesurer la respiration au moyen des pas

Marchez lentement et tranquillement dans un parc, le long d'une rivière ou sur un chemin de campagne. Respirez normalement.

Déterminez la longueur de votre respiration, inspiration et expiration, par le nombre de vos pas. Continuez ainsi pendant quelques minutes. Puis rallongez votre expiration d'un pas. Ne forcez pas sur votre inspiration, laissez-la s'établir naturellement. Observez soigneusement votre inspiration pour voir si vous éprouvez le besoin de l'allonger. Poursuivez, le temps de dix respirations.

Maintenant, allongez votre expiration d'un autre pas. Observez l'inspiration pour voir si elle ne s'allonge pas aussi d'un pas. Ne l'allongez que si vous sentez que cela vous procurera du bien-être.

Au bout de vingt respirations, revenez à la respiration normale. Après cinq minutes environ, vous pouvez recommencer à allonger l'expiration. Au moindre signe de fatigue, retournez à la normale. Après plusieurs séances passées à allonger la durée du souffle, l'inspiration et l'expiration s'égaliseront. Ne pratiquez pas trop longtemps les respirations égales, pas plus de quinze ou vingt respirations avant de retourner à la normale.

Compter la respiration

Cette méthode est possible en position assise ou en marchant, en prenant soin de respirer avec l'abdomen.

Lorsque vous inspirez, soyez conscient : « J'inspire, un » ; quand vous expirez, soyez conscient : « J'expire, un » ; la seconde inspiration, soyez conscient : « J'inspire, deux » ; expirant doucement, soyez conscient : « J'expire, deux. » Continuez ainsi jusqu'à dix, puis recommencez à un. Chaque fois que vous perdez le compte, revenez à un.

Respirer en écoutant de la musique

Écoutez un morceau de musique. Prenez des respirations longues, légères et régulières. Suivez votre souffle, soyez-en maître tout en restant conscient du mouvement et des sentiments véhiculés par la musique. Ne vous perdez pas dans la musique, mais continuez à garder le contrôle de la respiration et de vous-même.

Respirer lors d'une conversation

Prenez des respirations longues, légères et régulières. Suivez votre souffle tout en restant attentif aux paroles de votre ami et aux vôtres. Continuez de la même façon qu'avec la musique.

Suivre la respiration

Cette méthode se pratique dans la position assise ou en marchant.

Inspirez doucement et normalement (avec l'abdomen) tout en étant conscient : « J'inspire normalement. » Expirez en étant conscient : « J'expire normalement. » Continuez ainsi pendant trois respirations.

À la quatrième, allongez votre inspiration tout en étant conscient : « Je prends une longue inspiration. » Expirez en étant conscient : « Je prends une longue expiration. » Pratiquez ainsi pour trois respirations.

Maintenant, suivez votre respiration avec soin, attentif à chaque mouvement de l'abdomen et de la poitrine. Suivez l'entrée et la sortie de l'air. Soyez conscient : « J'inspire et je suis l'inspiration du début à la fin. J'expire et je suis l'expiration du début à la fin. » Continuez ainsi pendant vingt respirations et revenez à la normale.

Après cinq minutes, répétez l'exercice. Pensez toujours à maintenir le demi-sourire. Une fois que vous maîtrisez bien cet exercice, vous pouvez passer au suivant.

Respirer pour calmer le corps,
l'esprit, et faire naître la joie

Asseyez-vous en lotus ou demi-lotus. Suivez votre respiration avec le demi-sourire.

Lorsque le corps et l'esprit sont apaisés, continuez à inspirer et à expirer de manière légère en étant conscient : « J'inspire et je rends ma respiration légère et paisible. J'expire et je rends ma respiration légère et paisible. » Continuez pendant trois respirations, puis dans la Pleine Conscience faites naître cette pensée en vous : « J'inspire et je rends mon corps léger, paisible et joyeux. » Après trois respirations dans la Pleine Conscience, faites naître cette pensée : « Alors que mon corps et mon esprit sont joie et paix, j'inspire. Alors que mon corps et mon esprit sont joie et paix, j'expire. »

Maintenez cette pensée dans la Pleine Conscience, de cinq à trente minutes, ou même une heure selon vos possibilités et le temps dont vous disposez. Le début et la fin de la pratique doivent être détendus et doux. Lorsque vous désirez vous arrêter, massez-vous doucement les yeux et le visage avec les deux mains, puis les muscles des jambes avant de reprendre une posture assise normale. Attendez un moment avant de vous relever.

La position et les mouvements du corps

La Pleine Conscience des positions du corps

Cette méthode peut être pratiquée partout et à tout moment. Commencez par respirer consciemment, plus calmement et plus profondément que d'habitude.

Que vous soyez assis, debout, allongé ou en train de marcher, ayez conscience de la position de votre corps. Sachez où vous êtes assis, où vous êtes debout, où vous êtes allongé, ou encore, où vous marchez. Soyez conscient de l'intention qui vous amène dans cette position. Par exemple, vous êtes debout sur la pente d'une colline verdoyante et vous savez que vous êtes là pour vous rafraîchir, pour pratiquer la respiration ou simplement pour être là. S'il n'y a aucune intention, soyez conscient qu'il n'y a aucune intention.

La Pleine Conscience pendant la préparation du thé

Préparez du thé, soit pour l'offrir à un ami, soit pour vous-même. Faites chaque geste lentement, en Pleine Conscience. Dans vos mouvements, soyez attentif à tout et ne laissez pas un seul détail vous échapper sans en être conscient. Soyez conscient de votre main qui prend la théière. Sachez que vous versez le thé chaud et parfumé dans la tasse. Suivez chacun de vos pas avec attention. Respirez doucement et plus profondément que d'habitude. Si votre esprit s'égare, revenez à votre respiration.

Laver la vaisselle

Lavez la vaisselle en étant détendu, comme si chaque assiette était un objet de contemplation. Considérez chaque bol comme s'il était sacré. Suivez votre respiration pour éviter que votre esprit ne s'égare. N'essayez pas de vous débarrasser de la vaisselle en vous pressant. Considérez cette vaisselle comme la chose la plus importante de votre vie. Laver la vaisselle est une méditation. Si vous ne pouvez laver les assiettes dans la Pleine Conscience, vous ne serez pas non plus en mesure de méditer assis en silence.

Faire la lessive

Ne lavez pas trop de vêtements à la fois, n'en prenez que trois ou quatre. Trouvez la position assise ou debout la plus confortable pour prévenir tout mal de dos. Frottez le linge en restant relaxé. Soyez attentif à chaque mouvement de vos mains et de vos bras, au savon et à l'eau. Lorsque vous avez fini de frotter et de rincer, votre corps et votre esprit doivent se sentir aussi propres et frais que le linge. Pensez à maintenir le demi-sourire et revenez à la respiration chaque fois que l'esprit se disperse.

Faire le ménage

Organisez votre travail : rangement des objets et des livres, nettoyage des toilettes, de la salle de bains, époussetage, balayage des sols... Accordez-vous du temps pour chacun de ces actes, déplacez-vous lentement, trois fois plus lentement qu'à l'habitude. Soyez pleinement attentif à chacune de vos tâches. Par exemple, en replaçant un livre sur son étagère, regardez ce livre, sachez de quel livre il s'agit, en ayant l'intention de le placer à sa bonne place. Soyez conscient de votre main atteignant le livre et le prenant. Évitez tout mouvement brusque. Maintenez l'attention à la respiration, surtout si vos pensées vagabondent.

Prendre un bain

Accordez-vous trente à quarante-cinq minutes pour prendre un bain.

Ne vous pressez pas même une seconde. Depuis le moment où vous faites couler l'eau jusqu'à celui où vous enfilez des vêtements propres, que chacun de vos gestes soit lent, léger et accompli dans la Pleine Conscience. Dirigez votre attention sur chaque partie de votre corps, sans discrimination ou appréhension. Soyez concient des courants de l'eau sur votre corps. Lorsque vous avez terminé, votre esprit doit être aussi paisible et léger que votre corps. Suivez votre respiration. Imaginez-vous en train de vous baigner dans un bassin limpide couvert de fleurs de lotus en plein été.

Le caillou

Assis, immobile et respirant doucement, imaginez que vous êtes un caillou tombant dans l'eau claire d'une rivière.

Alors que vous coulez, aucune intention ne guide vos mouvements. Coulez jusqu'à ce que vous atteigniez cet endroit de repos total, le doux lit de sable de la rivière. Continuez à méditer sur le caillou jusqu'à ce que votre corps et votre esprit soient en repos complet : un caillou posé sur le sable.

Maintenez cette paix et cette joie pendant une demi-heure tout en observant votre respiration. Aucune pensée du passé ou du futur ne peut vous arracher à cette paix et cette joie du présent. L'univers existe dans ce moment présent. Aucun désir ne peut vous détourner de cette paix présente, même celui de devenir un Bouddha ou de sauver tous les êtres. Sachez que devenir un Bouddha ou sauver tous les êtres n'est réalisable que sur la fondation de la pure paix du moment présent.

Un jour de Pleine Conscience

Réservez-vous le jour de la semaine qui vous convient le mieux. Oubliez le travail que vous faites le reste de la semaine. Ne prenez pas de rendez-vous, ne lancez pas d'invitations. Ne vous engagez que dans des tâches simples telles que ménage, cuisine, lessive et rangement.

Une fois que la maison est propre et rangée, prenez un bain (tel qu'indiqué plus haut). Puis, préparez-vous du thé. Ensuite, vous pouvez lire les Écritures ou écrire à des amis proches. Maintenez votre Pleine Conscience et ne laissez pas le texte ou la lettre vous entraîner ailleurs. En lisant un texte sacré, soyez conscient de ce que vous êtes en train de lire ; en écrivant une lettre, soyez conscient de ce que vous êtes en train d'écrire. Suivez la même méthode si vous écoutez de la musique ou parlez avec un ami.

Après, vous pouvez sortir marcher un peu en pratiquant la respiration. Durant la journée, faites deux promenades de trente à quarante-cinq minutes chacune. Dans la soirée, préparez-vous un repas très léger, peut-être juste un fruit ou un verre de jus de fruits. Pratiquez la méditation assise pendant une heure avant d'aller vous coucher.

Une fois au lit, plutôt que de lire, faites l'exercice de relaxation totale pendant cinq à dix minutes. Restez maître de votre respiration. Respirez doucement, pas trop longuement, en suivant, les yeux fermés, le ventre et la poitrine qui se remplissent et se vident. Durant une telle journée, chacun de vos gestes doit être deux fois plus lent qu'à l'ordinaire.

L'interdépendance

La contemplation de l'interdépendance

Trouvez une photographie de vous enfant. Asseyez-vous en lotus ou demi-lotus. Commencez par suivre votre respiration.

Après vingt respirations, concentrez votre attention sur la photo en face de vous. Recréez et revivez les cinq agrégats qui vous constituaient à l'époque où le cliché a été pris : les caractéristiques physiques de votre corps, vos sentiments, vos perceptions, vos fonctionnements mentaux et votre conscience à l'époque où cette photo a été prise. Continuez à suivre votre respiration. Ne laissez pas les souvenirs vous entraîner ailleurs ou vous submerger. Poursuivez cette méditation quinze minutes en maintenant le demi-sourire.

Tournez votre Pleine Conscience vers votre être présent. Soyez conscient de votre corps, de vos sentiments, de vos perceptions, du cheminement de votre pensée et de votre conscience dans ce moment présent. Voyez ces cinq agrégats qui vous constituent.

Posez-vous cette question : « Qui suis-je ? » La question doit être profondément enracinée en vous, comme une graine nouvelle blottie au cœur de la terre douce et fraîche. La question « Qui suis-je ? » n'est pas abstraite et n'est pas à considérer avec des pensées décousues.

La question « Qui suis-je ? » ne doit pas être confinée dans l'intellect, mais être laissée aux soins de la totalité des cinq agrégats. N'essayez pas de trouver une réponse intellectuellement. Contemplez ainsi dix minutes, en maintenant une respiration légère mais profonde pour éviter d'être emporté dans une réflexion philosophique.

La contemplation de soi-même

Asseyez-vous seul dans une pièce sombre ou au bord d'une rivière la nuit ou dans tout autre endroit où vous pouvez être seul. Commencez par suivre votre respiration.

Amenez dans votre esprit la pensée suivante : « Je vais pointer mon doigt pour me désigner à moi-même », puis au lieu de tourner le doigt vers vous-même, pointez-le dans la direction opposée.

Méditez de façon à vous voir à l'extérieur de votre forme corporelle. Contemplez et voyez votre forme corporelle présente devant vous – dans les arbres, dans l'herbe et les feuilles, dans la rivière. Soyez conscient que vous êtes dans l'univers et que l'univers est en vous. Si l'univers existe, vous existez ; si vous existez, l'univers existe.

Il n'y a pas de naissance. Il n'y a pas de mort. Il n'y a pas d'arrivée. Il n'y a pas de départ. Maintenez le demi-sourire. Maîtrisez votre respiration. Contemplez ainsi de dix à vingt minutes.

Votre squelette

Allongez-vous sur un lit, sur une natte ou dans l'herbe, dans une position confortable. N'utilisez pas de coussin.

Commencez par suivre votre respiration. Imaginez qu'il ne reste de votre corps qu'un squelette blanchi posé à la surface de cette terre. Laissez venir et maintenez le demi-sourire en continuant à suivre votre respiration.

Imaginez comment votre chair s'est décomposée et a disparu et que votre squelette a passé quatre-vingts ans sous terre. Voyez clairement le crâne, les vertèbres, les côtes, le bassin, les os des bras, des jambes, les phalanges. Gardez le demi-sourire, respirez très légèrement, le cœur et l'esprit sereins.

Voyez que votre squelette n'est pas vous. Votre forme corporelle n'est pas vous. Soyez un avec la vie. Vivez éternellement dans les arbres, dans l'herbe, dans les autres personnes, dans les oiseaux et les animaux, dans le ciel, dans les vagues de l'océan.

Votre squelette n'est qu'une partie de vous. Vous êtes présent partout, à tout moment. Vous n'êtes pas qu'une forme physique, pas plus que des sentiments, des pensées, des actions ou une somme de connaissances. Continuez ainsi vingt à trente minutes.

Votre vrai visage avant votre naissance

Dans la position du lotus ou du demi-lotus, suivez votre respiration. Concentrez-vous sur le tout début de votre vie – A.

Sachez qu'il est aussi le point du début de votre mort. Voyez que votre vie et votre mort sont toutes deux manifestées en même temps : *ceci est*, parce que *cela est*, ceci n'aurait pas pu être si cela n'était pas ; voyez que l'existence de votre vie et celle de votre mort dépendent l'une de l'autre, l'une étant le fondement de l'autre. Voyez que vous êtes au même moment votre vie et votre mort ; voyez que les deux ne sont pas ennemies mais deux aspects de la même réalité.

Puis concentrez-vous sur le point terminal de cette manifestation à deux faces – B, ce point que nous appelons à tort la « mort ». Voyez que c'est le point final de la manifestation de votre vie et de votre mort.

Remarquez qu'il n'y a pas de différence entre avant A et après B. Cherchez votre vrai visage dans le temps qui a précédé A et suivi B.

La perte d'un être aimé

Asseyez-vous sur une chaise ou allongez-vous sur un lit, dans une position confortable. Commencez par suivre votre respiration.

Amenez à votre esprit l'image d'un être aimé qui est mort il y a plusieurs mois ou plusieurs années. Sachez clairement que la chair de cette personne s'est décomposée et qu'il ne reste plus qu'un squelette dans la terre. Sachez clairement que vous avez toujours votre chair et qu'en vous sont réunis les cinq agrégats : forme corporelle, sentiments, perceptions, formations mentales et conscience.

Pensez à ce qui vous liait à cette personne dans le passé et en ce moment présent. Maintenez le demi-sourire et gardez le contrôle de votre respiration. Méditez de cette façon pendant quinze minutes.

La vacuité

Asseyez-vous en lotus ou demi-lotus. Commencez par rendre votre respiration régulière.

Contemplez la nature de vacuité dans l'ensemble des cinq agrégats : forme corporelle, sentiments, perceptions, formations mentales et conscience. Considérez les cinq agrégats l'un après l'autre. Voyez qu'ils se transforment tous, qu'ils sont impermanents et sans existence propre.

L'ensemble des cinq agrégats est semblable à tout ensemble de phénomènes : ils obéissent tous à la loi de l'interdépendance. Leur réunion et leur séparation ressemblent à la formation et à la disparition des nuages au sommet des montagnes. Ne vous attachez pas aux cinq agrégats et ne les rejetez pas non plus. Sachez qu'aimer et ne pas aimer sont des phénomènes appartenant à l'ensemble des cinq agrégats. Voyez clairement que les cinq agrégats n'ont pas de « moi » et qu'ils sont vides. Mais aussi, voyez combien ils sont merveilleux, merveilleux comme chaque phénomène dans l'univers, merveilleux comme la vie qui est présente partout.

Essayez de voir que les cinq agrégats ne subissent pas vraiment création et destruction car ils sont eux-mêmes ultime réalité. Essayez de voir par cette contemplation que l'impermanence, le non-soi et la vacuité sont des concepts, cela afin de ne pas vous emprisonner dans ces concepts d'impermanence, de non-soi et de vacuité.

Vous verrez aussi que la vacuité est vide également, et que la réalité ultime de la vacuité n'est pas différente de la réalité ultime des cinq agrégats.

Cet exercice ne doit être pratiqué qu'après que le pratiquant a complètement expérimenté les cinq exercices précédents. La durée de cette méditation dépend de chaque individu – peut-être une heure, peut-être deux.

Méditation sur la compassion

La compassion pour la personne
que vous méprisez ou haïssez le plus

Asseyez-vous calmement. Respirez et amenez un demi-sourire à votre visage. Contemplez l'image de la personne qui vous a le plus causé de souffrances.

Contemplez chaque agrégat séparément.
— Regardez les traits que vous méprisez ou haïssez le plus ou que vous trouvez repoussants.
— En ce qui concerne les sentiments, examinez ce qui rend cette personne heureuse et ce qui la fait souffrir dans la vie de tous les jours.

— Observez les perceptions de cette personne : essayez de voir quels schémas de pensée et de raisonnement cette personne suit.

— De même pour les fonctionnements mentaux, examinez ce qui motive les espérances et les actes de cette personne.

— Finalement, considérez la conscience de cette personne. Observez ses manières de voir et son ouverture d'esprit et l'influence que peuvent avoir sur elle les préjugés, la haine, la colère ou une certaine étroitesse d'esprit. Voyez si cette personne est maîtresse d'elle-même ou non.

Continuez jusqu'à ce que vous sentiez la compassion s'élever dans votre cœur tel un puits se remplissant d'eau fraîche, et que la haine et le ressentiment disparaissent. Pratiquez cet exercice plusieurs fois avec la même personne.

La méditation sur la souffrance causée
par un manque de sagesse

Asseyez-vous en lotus ou demi-lotus. Commencez par suivre votre respiration. Choisissez la situation d'une personne, d'une famille ou de la société, qui à votre connaissance souffre énormément. Il ou elle sera l'objet de votre contemplation.

Dans le cas d'une personne, essayez de voir chaque souffrance que celle-ci doit endurer. Commencez avec les souffrances subies par la forme corporelle (maladie, pauvreté, douleur physique), puis passez aux souffrances causées par les sensations (conflits internes, crainte, haine, jalousie, conscience torturée).

Considérez ensuite la souffrance causée par les perceptions (pessimisme, tendance à demeurer dans ses problèmes avec un esprit étroit et sombre). Voyez si ses fonctionnements mentaux sont motivés par la peur, le découragement, le désespoir ou la haine. Voyez si sa conscience est fermée à cause de sa situation, de sa souffrance, des gens qui l'entourent, de son éducation, de la propagande ou d'un manque de maîtrise de soi.

Méditez sur toutes ces souffrances jusqu'à ce que votre cœur se remplisse de compassion tel un puits d'eau fraîche, et que vous soyez capable de voir que cette personne souffre à cause des circonstances et de son ignorance.

Prenez la résolution d'aider cette personne à sortir de sa situation présente de la manière la plus silencieuse et la plus humble possible.

Dans le cas d'une famille, suivez la même méthode. Considérez les souffrances d'une personne, puis d'une autre jusqu'à ce que vous ayez examiné les souffrances de la famille entière. Voyez que leurs souffrances sont les vôtres, et qu'il n'est pas possible de reprocher quoi que ce soit à qui que ce soit.

Considérez la façon dont vous pouvez les aider à se libérer de leur situation actuelle avec les moyens les plus silencieux et les plus humbles possible.

Dans le cas de la société, prenez la situation d'un pays qui souffre de la guerre ou de l'injustice.

Essayez de voir que chacune des personnes impliquées dans le conflit est une victime. Voyez que personne, y compris ceux des partis belligérants ou ceux qui paraissent être opposés, ne désire que la souffrance continue. Voyez qu'il n'est personne qui doive être blâmé pour cette situation, que celle-ci est rendue possible par l'attachement à des idéologies et à un système économique mondial injuste, et maintenu par l'ignorance et l'absence de résolution de chaque individu pour le changer.

Voyez que les deux parties d'un conflit ne s'opposent pas réellement, mais ne sont que deux aspects de la même réalité. Voyez que la chose essentielle est la vie et que tuer et opprimer ne résolvent rien. Souvenez-vous des mots du Soutra :

> *En temps de guerre*
> *Faites naître en vous*
> > *l'Esprit de Compassion.*
> *Aidez les êtres humains*
> *À abandonner*
> > *toute volonté de se battre.*
> *Partout où la bataille fait rage,*
> *Utilisez tous vos moyens*
> *Pour que les deux camps*
> > *soient de force égale,*
> *Puis intervenez dans le conflit*
> > *pour réconcilier.*

Vimalakirti NIRDESA

Méditez jusqu'à ce que les reproches et la haine disparaissent, et que l'amour et la compassion vous remplissent le cœur tel un puits d'eau fraîche. Faites le vœu de travailler pour l'éveil des consciences et la réconciliation par les moyens les plus silencieux et les plus humbles possible.

L'action désintéressée

Asseyez-vous en lotus ou demi-lotus. Suivez votre respiration.

Prenez un projet de développement agricole ou tout autre projet que vous considérez important, comme sujet de votre contemplation. Examinez le but du travail, les méthodes à utiliser et les personnes impliquées.

Considérez d'abord l'objectif du projet ; voyez que le travail consiste à servir, à soulager la souffrance, à répondre à la compassion, et non à satisfaire un désir de fierté ou de reconnaissance. Voyez que les méthodes utilisées encouragent la coopération entre les humains. Ne considérez pas le projet comme un acte de charité, ayez du respect pour les personnes impliquées.

Pensez-vous toujours en termes de « serviteurs » et de « bénéficiaires » ? Si vous faites encore la différence entre ceux qui servent et ceux qui bénéficient, c'est que vous faites ce travail pour vous-même et non pour le simple fait de servir. Le Soutra de la Prajña-paramita dit : « Le Bodhisattva aide les êtres vivants à ramer jusqu'à l'autre rive, mais en fait, aucun être vivant n'est aidé pour atteindre l'autre rive. »

Soyez déterminé à travailler dans un esprit de détachement et de désintéressement.

Le détachement

Asseyez-vous en lotus ou demi-lotus. Suivez votre respiration.

Rappelez-vous les réalisations les plus marquantes de votre vie et examinez chacune d'entre elles. Examinez votre talent, votre vertu, vos possibilités, la convergence des conditions favorables qui vous ont mené au succès. Examinez la complaisance et l'arrogance qui sont nées du sentiment que vous êtes la principale cause d'un tel succès. Faites briller la lumière de l'interdépendance sur toute la question afin de voir que l'accomplissement n'est pas réellement vôtre mais plutôt la convergence de diverses conditions sur lesquelles vous ne pouvez avoir aucune prise. Sans ces conditions, vous n'auriez rien pu faire. À l'avenir, veillez à ne pas vous attacher à ces réalisations. Ce n'est que lorsque l'on peut vraiment les abandonner que l'on devient réellement libre, à l'abri de leur emprise. Souvenez-vous de vos échecs les plus amers et examinez-les un à un. Voyez vos dons, vos qualités, vos potentiels et l'absence de conditions favorables qui vous ont mené à l'échec. Examinez tous les complexes qui sont nés de ce sentiment d'échec.

Faites briller la lumière de l'interdépendance sur l'ensemble de la situation afin de constater que l'échec n'est pas réellement dû à votre manque de qualités mais plutôt à l'absence de conditions favorables.

Réalisez alors que vous n'avez pas à endosser ces échecs, ils ne sont pas vous. Veillez à en être tout à fait libéré. Ce n'est que lorsque l'on peut vraiment les abandonner que l'on devient réellement libre, à l'abri de leur emprise.

Le non-abandon

Asseyez-vous en lotus ou demi-lotus. Suivez votre respiration.

Faites l'un des exercices sur l'interdépendance : l'exercice sur vous-même, sur votre squelette, ou sur un être disparu.

Observez que tout est impermanent et sans identité éternelle. Comprenez que malgré l'impermanence et l'absence d'identité durable, les choses sont merveilleuses. – Lorsque l'on n'est plus attaché par le conditionné, on ne l'est pas non plus par le non-conditionné.

Voyez que le saint, même s'il n'est pas concerné par l'enseignement de l'interdépendance, ne s'en éloigne pas pour autant. Bien qu'il puisse abandonner cet enseignement sans difficulté, il y demeure sans être submergé. Il est comme le bateau sur l'eau.

Contemplez et voyez que, sans être esclave de son service auprès des humains, l'être éveillé ne cesse jamais de les aider.

Thich Nhat Hanh,
les yeux de la compassion

par James Forest

En 1968, j'ai effectué avec Thich Nhat Hanh un voyage de « réconciliation » pendant lequel nous avons rencontré des Églises, des groupes d'étudiants, des sénateurs, des journalistes, des enseignants, des hommes d'affaires et, bénis soient-ils, quelques poètes. Presque partout où nous sommes allés, ce moine bouddhiste à la robe brune – paraissant bien moins que la quarantaine qu'il avait alors – désarmait rapidement ceux que nous rencontrions.

Sa gentillesse, son intelligence et sa rectitude rendaient impossible pour la plupart de ceux que nous croisions de conserver l'image stéréotypée qu'ils avaient des Vietnamiens. L'immense trésor du passé bouddhiste et vietnamien se déversait au travers des histoires qu'il racontait et de ses explications. Son intérêt et même son enthousiasme pour la chrétienté poussaient les chrétiens à se débarrasser de leur condescendance à l'égard de la tradition de Thich Nhat Hanh. Il était capable d'aider des milliers d'Américains à percevoir la guerre vue par les yeux d'un pay-

san travaillant dans sa rizière, élevant ses enfants et petits-enfants dans des villages entourés de bambou-seraies. En décrivant le talent des villageois qui fabriquent des cerfs-volants et le son des instruments à vent que ces fragiles vaisseaux emportaient vers les nuages, il réveillait l'enfant dans le cœur de l'adulte.

Après une heure passée à ses côtés, nous étions envahis par la beauté du Vietnam et remplis d'angoisse à l'idée d'une intervention militaire américaine au sein de la vie politique et culturelle du peuple vietnamien. Les affinités idéologiques qui permettaient de prendre parti pour l'un ou l'autre des protagonistes étaient évaporées, et l'on sentait l'horreur du ciel zébré de bombardiers, des maisons et des humains réduits en cendres, des enfants laissés seuls face à la vie sans la présence et l'amour de leurs parents ou de leurs grands-parents.

Mais il y eut un soir où au lieu d'éveiller la compréhension, Thich Nhat Hanh éveilla une rage indescriptible chez un Américain. Il avait parlé dans l'auditorium d'une église prospère de la banlieue de Saint Louis. Comme d'habitude, il mettait l'accent sur l'urgence d'arrêter les bombardements et la tuerie dans son pays. Alors qu'il répondait aux questions, un homme imposant se leva et prit la parole avec une haine d'une rare violence contre la « supposée compassion de ce monsieur Nhat Hanh » :

« Si vous vous préoccupez autant de votre peuple, monsieur Nhat Hanh, que faites-vous ici ? Si le sort de ceux qui sont blessés vous concerne tant, pourquoi n'êtes-vous pas à leurs côtés ? »

À ce stade, la mémoire que j'ai des mots qui ont été prononcés est confuse et ne laisse place dans mon esprit qu'au souvenir de la colère intense qui m'a submergé contre cet homme.

Quand il eut fini de parler, je regardai vers Thich Nhat Hanh avec stupéfaction. Que pouvait-il, que pouvait-on répondre ? L'esprit même de la guerre venait de remplir la pièce et cela semblait difficilement rattrapable.

Il y eut un silence. Puis Thich Nhat Hanh commença à parler, doucement, profondément calme et avec une compassion véritable pour l'homme qui venait de parler. Ses mots étaient comme une pluie tombant sur le feu. Il dit :

« Si vous voulez que l'arbre pousse, il est inutile d'arroser les feuilles, ce sont les racines qu'il faut arroser. Bien des racines de cette guerre sont là, dans votre pays. C'est pour aider ceux qui sont sous les bombes, pour essayer d'alléger leurs souffrances que je suis ici, chez vous. »

L'atmosphère de la pièce était changée. Par la fureur de cet homme, nous avions fait l'expérience de notre propre fureur ; nous avions vu le monde comme par la gueule d'un canon. Dans la réponse de Thich Nhat Hanh, nous avions pu vivre une alternative : la possibilité – amenée aux chrétiens par un bouddhiste et aux Américains par un « ennemi » – de surmonter la haine avec l'amour, de briser la réaction en chaîne apparemment sans fin de la violence dans l'histoire de l'humanité.

Mais après sa réponse, Nhat Hanh murmura quelques mots à l'oreille de l'organisateur et sortit rapidement de la pièce. Sentant que quelque chose n'allait pas, je le suivis dehors. C'était une nuit claire et fraîche. Thich Nhat Hanh se tenait sur le trottoir, derrière le parking de l'église. Il avait besoin de respirer, comme quelqu'un qui aurait plongé sous l'eau en profondeur et qui aurait eu du mal à remonter à la surface pour reprendre son souffle. J'ai attendu plusieurs minutes avant d'oser lui demander comment il se sentait ou ce qui lui était arrivé.

Enfin il m'expliqua que les commentaires de l'homme l'avaient considérablement contrarié. Il avait eu envie de lui répondre avec colère. Alors, il avait respiré très lentement et très profondément afin de pouvoir lui répondre calmement, avec compassion.

— Pourquoi ne pas vous autoriser à être en colère contre lui ? lui répondis-je, même les pacifistes ont le droit d'être en colère.

— S'il ne s'agissait que de moi, mais je suis là pour parler des paysans vietnamiens. Je me dois de leur montrer ce que nous pouvons être quand nous sommes au mieux de nous-mêmes.

Ce moment a été un moment important de ma vie. J'y ai repensé bien des fois depuis, car c'était la première fois que je réalisais qu'il y avait une connexion étroite entre notre respiration et la réponse que nous donnions au monde qui nous entoure.

Il n'y a que peu de temps que Thich Nhat Hanh a fait une tentative pour apprendre aux Occidentaux les bienfaits de la méditation, ce qu'il appelle souvent la Pleine Conscience. D'abord avec quelques amis occidentaux qui aident la Délégation bouddhiste vietnamienne pour la paix à Paris, puis avec un groupe du Centre quaker International. Enfin, il a écrit ce petit livre sur le sujet : Le Miracle de la Pleine Conscience, manuel pratique de méditation.

Thich Nhat Hanh est un poète, un Maître zen et le coprésident de l'Association pour la réconciliation au Vietnam. Il a joué un rôle prépondérant dans la création de « Bouddhisme engagé », un renouveau religieux profond enraciné dans la compassion et le service d'où sont issus d'innombrables projets qui allient l'aide aux victimes de guerre avec une opposition non violente à la guerre elle-même. Des milliers de bouddhistes, moines, nonnes et laïques, furent tués ou emprisonnés à cause de leur travail.

Son œuvre au Vietnam a donné naissance à l'École de la jeunesse pour le service social, à l'Université Van Hanh, un petit monastère qui fut très tôt une base du mouvement non violent, à un journal pacifiste clandestin, dirigé par sa coéquipière Cao Ngoc Phuong, et au La Boi Press, *l'un des principaux véhicules du renouveau religieux et culturel. Au Vietnam, sa poésie alimente la plupart des chansons d'espoir contemporaines.*

Même en exil, représentant outre-mer l'Église bouddhiste unifiée du Vietnam, il a continué à être une force de non-violence et de réconciliation dans son pays natal et un organisateur de groupes de soutien pour d'autres pays.

En dépit de ses collègues et de ses collaborateurs qui lui reprochaient ses « objectifs multiples », Martin Luther King rejoignit les opposants à la guerre du Vietnam, et son amitié avec Thich Nhat Hanh en fut sûrement un élément décisif. Peu avant son assassinat, Martin Luther King proposa Thich Nhat Hanh pour le prix Nobel de la paix.

Il n'y a que peu de livres de Thich Nhat Hanh qui ont été publiés en dehors du Vietnam : Le Lotus dans une mer de feu, Le Cri du Vietnam, Le chemin du retour continue le voyage, Clés Zen, Le radeau n'est pas la rive.

Durant nos conversations avec Thich Nhat Hanh et ses collaborateurs dans l'appartement parisien de la Délégation bouddhiste vietnamienne pour la paix, notre attention se portait sur l'absence de dimension méditative de beaucoup de mouvements pacifistes américains. Cette absence expliquait pourquoi tant de mouvements pour la « paix » (que l'on pourrait appeler mouvements pour la cessation de la guerre) avaient manifesté si peu d'intérêt aux campagnes bouddhistes non violentes contre la guerre. Les bouddhistes désarmés n'ont pas été jugés véritablement « politiques » – tout juste faisant partie d'un mouvement religieux –, admirables, inhabituellement courageux comparés aux autres groupes religieux, mais périphériques.

La respiration elle-même. Respirer. Pour beaucoup, il semble étonnant que quelque chose d'aussi *simple que l'attention à la respiration ait un rôle central dans la méditation et la prière. Cela ressemble à l'idée mystérieuse d'un romancier cachant les diamants dans l'aquarium du poisson rouge : trop évident pour être remarqué. Mais depuis que j'ai laissé filtrer la nouvelle au travers de mes propres barrières de scepticisme, les confirmations se sont succédé, principalement celles dues à l'expérience.*

Le problème avec la méditation, c'est que son contexte est à portée de main. Comme Thich Nhat Hanh l'indique, les opportunités sont partout. Dans le bain, devant l'évier, sur la planche à découper, sur un trottoir ou un chemin, dans un escalier ou devant une machine à écrire... littéralement partout. Les moments, les lieux de silence et d'immobilité sont merveilleux et nous aident, mais ils ne sont pas indispensables. La vie méditative ne nécessite ni planification, ni isolement. Elle requiert des périodes de temps occasionnelles, même un jour de la semaine tout entier, quand une attention particulière peut être accordée à devenir plus pleinement conscient. Les chrétiens et les juifs pratiquent bien eux aussi le Jour du Seigneur et le Sabbat.

Les suggestions de Thich Nhat Hanh sembleront sans intérêt aux sceptiques, comme une mauvaise blague à la fin d'une histoire, le dernier tour sorti tout droit de l'ancien jeu de cartes du double langage mystique.

L'affirmation pacifiste, elle, semble pour beaucoup n'être qu'une absurdité : choisir de vivre sans armes dans un monde meurtrier. La voie de la méditation ne comporte pas que le désarmement indivi-

duel, nous avons déjà commencé à faire un pas de plus avec la non-violence non seulement face aux gouvernements, aux corporations et aux armées de libération, mais en faisant une rencontre non violente avec la réalité elle-même.

C'est la façon de comprendre une vérité toute simple dont Nhat Hanh a déjà parlé : « Ceux qui n'ont pas de compassion ne peuvent pas voir ce qui est vu par les yeux de la compassion. » Cette vision globale fait une différence, petite mais essentielle, entre le désespoir et l'espoir.

Table des matières

DEUXIÈME PARTIE
Exercices de Pleine Conscience

ÉNIGMES

Michael Baigent, Richard Leigh, Henry Lincoln • *L'énigme sacrée*
Michael Baigent, Richard Leigh, Henry Lincoln • *Le message*
Michael Baigent • *L'énigme Jésus*
Edouard Brasey • *L'énigme de l'Atlantide*
Graham Hancock • *Le mystère de l'arche perdue*
Christopher Knight & Robert Lomas • *La clé d'Hiram*
Christopher Knight & Robert Lomas • *Le livre d'Hiram*
Pierre Jovanovic • *Enquête sur l'existence des anges gardiens*
Chris Morton • *Le mystère des crânes de cristal*
Joseph Chilton Pearce • *Le futur commence aujourd'hui*
Lynn Picknett & Clive Prince • *La porte des étoiles*
Lynn Picknett & Clive Prince • *La révélation des templiers*
Rapport Cometa • *Les ovni et la défense*

ÉPANOUISSEMENT PERSONNEL

Melody Beattie • *Les leçons de l'amour*
Julia Cameron • *Libérez votre créativité*
Deepak Chopra • *Les sept lois spirituelles du succès*
Deepak Chopra • *Les clés spirituelles de la richesse*
Deepak Chopra • *Les sept lois spirituelles du yoga*
Deepak Chopra • *Les sept lois pour guider vos enfants sur la voie du succès*
Deepak Chopra • *Le chemin vers l'amour*
Marie Coupal • *Le guide du rêve et de ses symboles*
Wayne W. Dyer • *Les dix secrets du succès et de la paix intérieure*
Wayne W. Dyer • *Les neuf lois de l'harmonie*

Mark V. Hansen, Robert Allen • *Réveillez le millionnaire qui est en vous*
Arouna Lipschitz • *Dis-moi si je m'approche*
Arouna Lipschitz • *L'un n'empêche pas l'autre*
Dr Richard Moss • *Le papillon noir*
Joseph Murphy • *Comment utiliser les pouvoirs du subconscient*
Joseph Murphy • *Comment réussir votre vie*
Anthony Robbins • *Pouvoir illimité*
Mona Lisa Schulz • *Le réveil de l'intuition*
James Van Praagh • *Guérir d'un chagrin*

PARANORMAL/DIVINATION/PROPHÉTIES

Édouard Brasey • *Enquête sur l'existence des fées et des esprits de la nature*
Sonia Choquette • *A l'écoute de votre sixième sens*
Marie Delclos • *Le guide de la voyance*
Jocelyne Fangain • *Le guide du pendule*
Jean-Daniel Fermier • *Le guide de la numérologie*
Jean-Charles de Fontbrune • *Nostradamus, biographie et prophéties jusqu'en 2025*
Allan Kardec • *Le livre des médiums*
Dorothée Koechlin de Bizemont • *Les prophéties d'Edgar Cayce*
Maud Kristen • *Fille des étoiles*
Maud Kristen • *Ma vie et l'invisible*
Dean Radin • *La conscience invisible*
Régine Saint-Arnauld • *Le guide de l'astrologie amoureuse*
Rupert Sheldrake • *Les pouvoirs inexpliqués des animaux*
Sylvie Simon • *Le guide des tarots*

POUVOIRS DE L'ESPRIT/VISUALISATION

Carlos Castaneda • *Passes magiques*
Dr. Wayne W. Dyer • *Le pouvoir de l'intention*
Marilyn Ferguson • *La révolution du cerveau*
Shakti Gawain • *Techniques de visualisation créatrice*
Shakti Gawain • *Vivez dans la lumière*
Paul-Clément Jagot • *Le pouvoir de la volonté*
Jon Kabat-Zinn • *Où tu vas, tu es*
Bernard Martino • *Les chants de l'invisible*
Éric Pier Sperandio • *Le guide de la magie blanche*
Marianne Williamson • *Un retour à la prière*

LOBSANG T. RAMPA

Le troisième œil
Les secrets de l'aura

La caverne des Anciens
L'ermite

JAMES REDFIELD

La prophétie des Andes
Les leçons de vie de la prophétie des Andes
La dixième prophétie
L'expérience de la dixième prophétie
La vision des Andes
Le secret de Shambhala
Et les hommes deviendront des dieux

ROMANS ET RÉCITS INITIATIQUES

Deepak Chopra • *Dieux de lumière*
Elisabeth Haich • *Initiation*
Immaculée Ilibagiza • *Miraculée*
Laurence Ink • *Il suffit d'y croire…*
Gopi Krishna • *Kundalinî – autobiographie d'un éveil*
Shirley MacLaine • *Danser dans la lumière*
Shirley MacLaine • *Le voyage intérieur*
Shirley MacLaine • *Mon chemin de Compostelle*
Dan Millman • *Le guerrier pacifique*
Marlo Morgan • *Message des hommes vrais*
Marlo Morgan • *Message en provenance de l'éternité*
Michael Murphy • *Golf dans le royaume*
Scott Peck • *Les gens du mensonge*
Scott Peck • *Au ciel comme sur terre*
Robin S. Sharma • *Le moine qui vendit sa Ferrari*
Baird T. Spalding • *La vie des Maîtres*
Paramahansa Yogananda • *Autobiographie d'un yogi*

SANTÉ/ÉNERGIES/MÉDECINES PARALLÈLES

Deepak Chopra • *Santé parfaite*
Janine Fontaine • *Médecin des trois corps*
Janine Fontaine • *Médecin des trois corps. Vingt ans après*
Janine Fontaine • *La médecine du corps énergétique*
Caryle Hishberg & Marc Ian Barasch • *Guérisons remarquables*
Dolores Krieger • *Le guide du magnétisme*
Jacques La Maya • *La médecine de l'habitat*
Pierre Lunel • *Les guérisons miraculeuses*
Caroline Myss • *Anatomie de l'esprit*
Dr Bernie S. Siegel • *L'amour, la médecine et les miracles*

SPIRITUALITÉS

Bernard Baudouin • *Le guide des voyages spirituels*
Jacques Brosse • *Le Bouddha*
Deepak Chopra • *Comment connaître Dieu*
Deepak Chopra • *La voie du magicien*
Sa Sainteté le Dalaï-Lama • *L'harmonie intérieure*
Sa Sainteté le Dalaï-Lama • *La voie de la lumière*
Sa Sainteté le Dalaï-Lama • *Sagesse du bouddhisme tibétain*
Sa Sainteté le Dalaï-Lama • *Le sens de la vie*
Sa Sainteté le Dalaï-Lama • *Vaincre la mort et vivre une vie meilleure*
Sam Keen • *Retrouvez le sens du sacré*
Krishnamurti • *Commentaires sur la vie - 1*
Thomas Moore • *Le soin de l'âme*
Nhat Hanh Thich • *Le miracle de la pleine conscience*
Scott Peck • *Le chemin le moins fréquenté*
Scott Peck • *La quête des pierres*
Scott Peck • *Au-delà du chemin le moins fréquenté*
Ringou Tulkou Rimpotché • *Et si vous m'expliquiez le bouddhisme ?*
Baird T. Spalding • *Treize leçons sur la vie des Maîtres*
Marianne Williamson • *Un retour à l'Amour*
Neale D. Walsch • *Conversations avec Dieu - 1 et 2*
Neale D. Walsch • *Présence de Dieu*

VIE APRÈS LA MORT/RÉINCARNATION/INVISIBLE

Rosemary Altea • *Une longue échelle vers le ciel*
Rosemary Altea • *Libre comme l'esprit*
Michèle Decker • *La vie de l'autre côté*
Allan Kardec • *Le livre des esprits*
Vicki Mackenzie • *Enfants de la réincarnation*
Daniel Meurois & Anne Givaudan • *Les neuf marches*
Daniel Meurois & Anne Givaudan • *Récits d'un voyageur de l'astral*
Daniel Meurois & Anne Givaudan • *Terre d'émeraude*
Raymond Moody • *La vie après la vie*
Raymond Moody • *Lumières nouvelles sur la vie après la vie*
Jean Prieur • *Le mystère des retours éternels*
James Van Praagh • *Dialogues avec l'au-delà*
Ian Stevenson • *20 cas suggérant le phénomène de réincarnation*
Brian L. Weiss • *Nos vies antérieures, une thérapie pour demain*
Brian L. Weiss • *Il n'y a que l'amour*